Wörter zur Wahl

Wortschatzübungen
Deutsch als Fremdsprache

von
Magda Ferenbach und Ingrid Schüßler

D1264496

Ernst Klett Sprachen
Stuttgart

Wörter zur Wahl

Wortschatzübungen

Deutsch als Fremdsprache

Neubearbeitung

1. Auflage   1 [14] [13] [12] [11] | 2020 19 18 17

Alle Drucke dieser Auflage können im Unterricht nebeneinander benutzt werden.
Die letzte Zahl bezeichnet das Jahr dieses Druckes.

Internetadresse: www.klett-sprachen.de

Redaktion: Jutta Klumpp-Stempfle
Zeichnungen: Sepp Buchegger, Tübingen
Satz und Layout: Regina Krawatzki, Stuttgart
Druck: Salzland Druck, Staßfurt
Printed in Germany.

ISBN 978-3-12-558201-9

Vorwort

Mit diesem Buch können Sie – allein oder im Unterricht – auf verschiedene Weise umgehen. Sie können es von Anfang bis Ende durcharbeiten, Sie können sich aber auch zuerst die leichteren Übungen aussuchen. Die schwierigeren sind mit einem Symbol **!** gekennzeichnet. Im Anhang finden Sie die Lösungen zu allen Aufgaben.

In den Übungen geht es weitgehend um Sätze der gesprochenen Sprache, die ergänzt werden sollen. Dazu werden Wörter zur Wahl vorgegeben. Einige davon werden Sie schon kennen, bei anderen werden Sie nicht sicher sein, in welchem Zusammenhang sie angewendet werden können. Die Sätze sind aber immer eindeutig zu verstehen, und nur ein Wort von den zur Wahl stehenden ist das genau treffende Wort. Ist es Ihnen neu oder nicht geläufig, so sprechen Sie den Satz mehrmals laut, dann prägt sich die Anwendung des Wortes im Satz am besten ein.

Am Ende werden Sie feststellen, dass Sie sowohl kritischer als auch sicherer im Umgang mit der deutschen Sprache geworden sind. Kritischer, weil Sie sich nicht mehr so leicht mit einem Wort begnügen, das nur ungefähr ausdrückt, was Sie sagen wollen. Sicherer, weil Sie Bekanntes gefestigt und Neues dazugelernt haben.

Wir wünschen viel Erfolg!

INHALT

DAS ADJEKTIV

GEGENSÄTZE

1 Herr Müller ist immer anderer Ansicht. Welches Adjektiv passt?

1. Macht seine Frau morgens starken Kaffee, will er ihn ___*schwach*___ .

2. Kocht sie weiche Eier, dann hätte er sie gerne _____.

3. Kauft sie mageres Fleisch, hätte er _____ vorgezogen.

4. Findet sie die Soße scharf, findet er sie _____.

5. Bestellt sie ein warmes Getränk, will er ein _____ haben.

6. Schlägt sie einen kurzen Spaziergang vor, will er einen _____ machen.

7. Geht sie langsam, geht er _____.

8. Sucht sie einen schattigen Sitzplatz, zieht er einen _____ vor.

9. Ist sie streng mit den Kindern, meint er, man müsse _____ sein.

10. Hält sie eine Anschaffung für notwendig, hält er sie für _____.

11. Möchte sie das Fenster offen haben, besteht er darauf, dass es _____ bleibt.

12. Findet sie etwas fremdartig, so sagt er, ihm sei es ganz _____.

---

schwach • bekannt • fade • fett • geschlossen • hart • kalt • lang •
nachsichtig • schnell • sonnig • überflüssig

---

2 Frau Schmidt macht ihrem Mann das Leben schwer. Was passt?

1. Hält er den Roman für langweilig, sagt sie, er sei _*spannend*_ .

2. Bezeichnet er eine Ware als teuer, besteht sie darauf, dass sie _____ sei.

3. Rückt er ein Bild gerade, so rückt sie es wieder _____.

4. Meint er, etwas sei nur zufällig geschehen, so sagt sie, es sei _____
   gewesen.

5. Möchte er einen lustigen Film sehen, bevorzugt sie einen _____.

6. Wünscht er sich einen Pullover aus feiner Wolle, so kauft sie einen aus
   _____.

7. Findet er eine Reise beschwerlich, so sagt sie, sie sei doch ganz _____.

8. Fühlt er sich müde, so ist sie immer besonders _____.

9. Hält er etwas für üblich, so findet sie, es komme nur _____ vor.

10. Meint er, ihre Kleider seien auffällig, so sagt sie, sie seien doch ganz
    _____.

11. Glaubt er, ein Geschäft sei riskant, so hält sie es für völlig _____.

12. Kurz, Herr Müller und Frau Schmidt sind keine einfachen, sondern
    _____ Charaktere.

---

spannend • absichtlich • bequem • ernst • frisch • grob • preiswert •
schief • schlicht • schwierig • selten • sicher

---

3 Ergänzen Sie.

1. Ich möchte kein ganzes Brot, sondern ein _halbes_____.

2. Das Abkommen war nicht öffentlich, sondern _____.

3. Hat das jeder einzeln entschieden? Nein, alle _____.

4. Sind Sie anderer Ansicht? Nein, ich bin der _____.

5. Ist seine Zustimmung noch fraglich? Nein, sie ist _____.

6. Ist es noch weit zum Schloss? Nein, es liegt ganz _____.

GEGENSÄTZE

7. Bist du schon satt? Nein, ich bin noch _____.

8. Ich will keinen eckigen Tisch, sondern einen _____.

9. Besucht er sie nur selten? Nein, sehr _____.

10. Der Schrecken machte den Betrunkenen wieder _____.

11. Soll ich die Mitglieder mündlich benachrichtigen?

    Nein, besser _____.

12. Manche Strafen sind eher schädlich als _____.

---

halb • geheim • gemeinsam • gewiss • gleich • häufig • hungrig •
nah • nützlich • nüchtern • rund • schriftlich

---

4 Was passt?

1. Das war keine gescheite Antwort, sondern eine ____*dumme*____.

2. Du bist ja heute gar nicht so schweigsam, sondern ganz _____.

3. Die Hose ist nicht weit genug, sie ist zu _____.

4. Das ist nicht richtig; das ist _____.

5. Mir gefallen schmale Schuhe besser als _____.

6. Das Tischtuch ist doch nicht mehr sauber; es ist ganz _____.

7. Wir brauchen keine dauernde Hilfe, nur eine _____.

8. Geh lieber bedächtig an die Sache heran, nicht zu _____.

9. Der Nagel ist krumm. Klopf ihn wieder _____!

10. Das glänzende Metall gefällt mir nicht; ich möchte es lieber _____.

11. Du bist noch minderjährig. Warte, bis du _____ bist!

12. Hier ist es schwül. Mach das Fenster auf, damit _____ Luft
    hereinkommt.

dumm • breit • eilig • eng • gerade • gesprächig • fleckig • frisch •
matt • mündig • verkehrt • zeitweilig

5 Verschiedene Gegensätze! Was passt zusammen?

Nicht immer ist die Bildung eines gegensätzlichen Begriffspaares so einfach wie z.B. groß : klein. Oft muss man, je nach dem Zusammenhang, verschiedene Ausdrücke gebrauchen. So heißt der Gegensatz von „alt", wenn es sich um Sachen handelt: „neu", und wenn es sich um Lebewesen handelt: „jung".

A Gegensatzpaare

1. Herr Müller ist nicht gesund; er ist ___**krank**___. – Das Klima ist nicht gesund; es ist __**ungesund**__.

2. Der Bleistift ist stumpf; er muss _____ sein. – Mit dem stumpfen Messer kann ich nichts anfangen. Gib mir bitte ein _____.

3. Ein Schüler, der nicht faul ist, ist _____. – Obst, das nicht faul ist, ist _____.

4. Ich möchte _____ Schokolade, keine süße. – Die Apfelsinen sind nicht süß, sondern _____.

5. Ist das ein fremder Hund? Nein, das ist mein _____. – Der Herr ist hier nicht fremd, er ist _____.

6. Die Schuhe sind mir nicht zu eng, sondern eher zu _____. – Wir kommen jetzt aus den engen Straßen der Innenstadt in die _____ der Außenstadt.

7. Ich will keine _____, sondern die nackte Wahrheit wissen. – Der Felsen war unten nicht nackt, sondern _____.

DAS ADJEKTIV

GEGENSÄTZE

8. Nach der reichen Ernte im Vorjahr gab es in diesem nur eine _____.
   – Der Fürst ist nicht mehr reich; er ist _____ geworden.

9. Arme Länder sind oft nicht frei, sondern _____. – Ist dieser Platz
   frei? Nein, er ist _____.

10. Nach vielen falschen Antworten kam endlich die _____. – Dieser
    Stein ist doch nicht _____; er ist falsch.

11. Nach der Kur ist die dicke Frau Meier ganz _____ geworden. –
    Ich brauche eine _____ Schnur, nicht diese dicke.

12. Ein schwerfälliger Diplomat hat keinen Erfolg; er muss _____
    sein. – Wer ein Akrobat werden will, muss _____ sein und nicht
    schwerfällig.

---

krank – ungesund • abhängig – besetzt • bitter – sauer • eigen – bekannt •
fleißig – frisch • gewandt – gelenkig • kümmerlich – arm • richtig – echt •
schlank – dünn • spitz – scharf • weit – breit • verschleiert – bewachsen

---

B Manches ist „nicht fest".

1. Eine feste Zusage ist nicht **_unverbindlich_**.

2. Eine feste Verbindung ist nicht _____.

3. Festes Eis ist nicht _____.

4. Eine feste Stimme ist nicht _____.

5. Fester Schlaf ist nicht _____.

---

unverbindlich • brüchig • leicht • locker • schwankend

C Manches ist „nicht glatt".

    1. Eine glatte Straße ist nicht _____*holprig*_____.

    2. Glattes Papier ist nicht _____.

    3. Ein glattes Kinn ist nicht _____.

    4. Glatte Haut ist nicht _____.

    5. Glatte Haare sind nicht _____.

> ~~holprig~~ • lockig • rau • runzelig • stoppelig

D Manches ist „nicht tief".

    1. Eine tiefe Stimme ist nicht _____*hoch*_____.

    2. Eine tiefe Schneedecke ist nicht _____.

    3. Ein tiefer Teller ist nicht _____.

    4. Tiefes Wasser ist nicht _____.

    5. Ein tiefes Gefühl ist nicht _____.

> ~~hoch~~ • dünn • flach • oberflächlich • seicht

E Manches ist „nicht weit".

    1. Ein weiter Weg ist nicht _____*kurz*_____.

    2. Weite Schuhe sind nicht _____.

    3. Ein weites Ziel ist nicht _____.

    4. Eine weite Sicht ist nicht _____.

    5. Ein weites Tal ist nicht _____.

> ~~kurz~~ • begrenzt • eng • nah • schmal

DAS ADJEKTIV

GEGENSÄTZE

F Manches ist „nicht klar".

    1. Ein klarer Himmel ist nicht ___*bedeckt*___.

    2. Eine klare Stimme ist nicht _____.

    3. Ein klares Bild ist nicht _____.

    4. Eine klare Antwort ist nicht _____.

    5. Eine klare Handschrift ist nicht _____.

---

bedeckt • heiser • mehrdeutig • unleserlich • verschwommen

G Manches ist „nicht wild".

    1. Ein wildes Tier ist nicht ___*zahm*___.

    2. Wilde Kinder sind nicht _____.

    3. Ein wilder Garten ist nicht _____.

    4. Ein wilder Streik ist nicht _____.

    5. Eine wilde Landschaft ist nicht _____.

---

zahm • gepflegt • artig • kultiviert • planmäßig

H Manches ist „nicht leicht".

    1. Das Paket ist sehr ___*schwer*___.

    2. War die Aufgabe zu _____?

    3. Sie müssen Ihre Pflichten _____ nehmen.

    4. Der _____ Nebel erschwerte die Sicht.

    5. Sie ging mit _____ Schritten.

---

schwer • dicht • ernst • schwerfällig • schwierig

! I Manches ist „nicht schwach".

1. Hätten wir doch eine __*stärkere*__ Mannschaft!

2. Sie brauchen unbedingt ein _____ Messer.

3. Ich erinnere mich ganz _____.

4. Die Straße war _____ erleuchtet.

5. Er hörte _____ Hilferufe.

---

stark • deutlich • hell • laut • scharf

! J Manches ist „nicht frisch".

1. Die Butter kann niemand mehr essen; sie ist ___*ranzig*___.

2. Ist die Milch auch _____ geworden?

3. Der Kuchen schmeckt nicht mehr; er ist zu _____.

4. Wenn der Fisch _____ ist, musst du ihn wegwerfen.

5. Der Salat ist schon ziemlich _____.

6. Lass das Bier nicht so lange stehen; es wird _____.

7. Das _____ Wetter macht mir Kopfschmerzen.

8. Ich fühle mich noch sehr _____.

9. Das _____ Holz muss herausgeschnitten werden.

10. Soll ich die _____ Handtücher nicht wechseln?

---

ranzig • welk • dürr • matt • sauer • schal • schmutzig • schwül • trocken • verdorben

---

DAS ADJEKTIV

GEGENSÄTZE

❗6 Was ist das Gegenteil von

1. einer unverfrorenen Forderung?   Eine _**bescheidene**_ Forderung.
2. einer ungefähren Zeitangabe?   Eine _____ Zeitangabe.
3. einer unbestimmten Zusage?   Eine _____ Zusage.
4. einem unbeholfenen Menschen?   Ein _____ Mensch.
5. einer unwirschen Auskunft?   Eine _____ Auskunft.
6. einer unschlüssigen Haltung?   Eine _____ Haltung.
7. einem unnahbaren Menschen?   Ein _____ Mensch.
8. einem ungestümen Vorgehen?   Ein _____ Vorgehen.
9. einem unverhofften Ereignis?   Ein _____ Ereignis.
10. einer unbeschwerten Stimmung?   Eine _____ Stimmung.

~~bescheiden~~ • besonnen • konkret • entschlossen • erwartet • freundlich • genau •
gedrückt • gewandt • zugänglich

**❗7 Die Menschen sind ganz verschieden in ihrer äußeren Erscheinung.
Ergänzen Sie passend.**

1. Herr Adam ist untersetzt.   Herr Beck ist ___ _schlank_ ___.
2. Er hat ein volles Gesicht.   Er hat ein _____ Gesicht.
3. Er hat eine niedrige Stirn.   Er hat eine _____ Stirn.
4. Er hat abstehende Ohren.   Er hat _____ Ohren.
5. Er hat ein rötliches Gesicht.   Er hat ein _____ Gesicht.
6. Er hat glatte Haare.   Er hat _____ Haare.
7. Er hat ein fliehendes Kinn.   Er hat ein _____ Kinn.
8. Er hat schadhafte Zähne.   Er hat _____ Zähne.
9. Seine Stimme ist rau.   Seine Stimme ist _____.

10. Er hält sich krumm.   Er hält sich _____.

11. Er benimmt sich auffällig.   Er benimmt sich _____.

12. Er kleidet sich nachlässig. Er kleidet sich _____.

---

schlank • anliegend • blass • gerade • gepflegt • gesund • hoch • lockig • klar •
schmal • stark • zurückhaltend

❗8 Sie sind auch gegensätzlich in ihrem Charakter. Was passt?

1. Frau Bauer ist wissbegierig.   Frau Vogt ist _interesselos_ .

2. Sie denkt folgerichtig.   Sie denkt _____.

3. Sie handelt besonnen.   Sie handelt _____.

4. Sie handelt planmäßig.   Sie handelt _____.

5. Sie arbeitet sorgfältig.   Sie arbeitet _____.

6. Sie spricht knapp und   Sie spricht _____ und

   klar.   _____.

7. Zu ihren Mitmenschen verhält sie sich   Zu ihren Mitmenschen verhält sie sich

   ungezwungen,   _____,

   zurückhaltend und   _____ und

   ausgeglichen.   _____.

---

interesselos • launisch • planlos • schlampig • sprunghaft • unbedacht • verkrampft •
verworren • weitschweifig • zudringlich

GEGENSÄTZLICHE BEWERTUNG

❗1 Die Menschen bewerten sich sehr verschieden. Was passt?

A Herr Frank sieht sich selbst als   Andere sehen ihn als

1. sparsam   *geizig*

2. konservativ   _____

3. patriarchalisch   _____

4. selbstsicher   _____

5. zielstrebig   _____

~~geizig~~ • autoritär • reaktionär • eingebildet • rücksichtslos

---

B Frau Hildt sieht sich selbst als   Andere sehen sie als

1. wissbegierig   *neugierig*

2. hilfsbereit   _____

3. gemütvoll   _____

4. aufrichtig   _____

5. tolerant   _____

~~neugierig~~ • schwach • sentimental • taktlos • zudringlich

---

C Leon sieht sich selbst als   Andere sehen ihn als

1. freigebig   *verschwenderisch*

2. klug   _____

3. mitteilsam   _____

4. strebsam   _____

5. vorsichtig   _____

~~verschwenderisch~~ • feige • geschwätzig • schlau • streberisch

---

GEGENSÄTZLICHE BEWERTUNG

❗2 Ergänzen Sie passend.

A Andere sehen Herrn Mair als   Er selbst sieht sich als

    1. opportunistisch   _anpassungsfähig_

    2. habgierig   _____

    3. fantasielos   _____

    4. pedantisch   _____

    5. eigensinnig   _____

---

anpassungsfähig • ordnungsliebend • erwerbstüchtig • praktisch • standhaft

---

B Andere sehen Frau Stein als   Sie selbst sieht sich als

    1. streitsüchtig   _streitbar_

    2. empfindlich   _____

    3. nörglerisch   _____

    4. redselig   _____

    5. hochnäsig   _____

---

streitbar • beredt • empfindsam • kritisch • selbstbewusst

C Andere sehen Marie als   Sie selbst sieht sich als

    1. exaltiert   _enthusiastisch_

    2. schmeichlerisch   _____

    3. nachlässig   _____

    4. weltfremd   _____

    5. unbeherrscht   _____

---

enthusiastisch • großzügig • idealistisch • liebenswürdig • temperamentvoll

---

DAS ADJEKTIV

GEGENSÄTZLICHE BEWERTUNG

3 Wählen Sie das Adjektiv mit der negativen Bewertung.

1. Wenn du nicht so ⊗ beeinflussbar ◯ aufgeschlossen wärst, hättest du nicht auf den Unsinn gehört.

2. Du lieber Himmel, sei doch nicht so ◯ mundfaul ◯ wortkarg.

3. Wenn du so ◯ selbstgenügsam ◯ menschenscheu bleibst, wirst du noch ganz zum Einsiedler.

4. Dieses ◯ alberne ◯ lustige Gelächter geht mir auf die Nerven.

5. Frau Müller ist fürchterlich ◯ geschwätzig ◯ mitteilsam.

6. Sei doch nicht so unerträglich ◯ überspannt ◯ schwärmerisch.

7. Ich finde es widerwärtig, wie ◯ demütig ◯ unterwürfig du gegenüber deinem Chef bist.

8. Sei vorsichtig und nicht so ◯ vertrauensvoll ◯ vertrauensselig.

4 Kreuzen Sie das Adjektiv mit der positiven Bewertung an.

1. Die ⊗ sachliche ◯ trockene Darstellung hat mir gut gefallen.

2. Der ◯ zügellose ◯ leidenschaftliche Appell hatte Erfolg.

3. Lass die jungen Leute. Sie sind jung und ◯ vergnügungssüchtig ◯ lebenslustig.

4. Sie können ◯ hochnäsig ◯ stolz auf Ihren Erfolg sein.

5. Wie schön, dass Ihre Kinder noch so ◯ unselbstständig ◯ anhänglich sind.

6. Wir leben gerne einfach und ◯ dürftig ◯ bescheiden.

7. Peter ist ein braver und ◯ stiller ◯ duckmäuserischer Junge.

8. Er ist sehr ◯ nachgiebig ◯ gütig.

GEGENSÄTZLICHE BEWERTUNG

! 5 Regierung und Opposition bewerten die Dinge verschieden. Was passt?

Die einen nennen es: Die anderen nennen es:

1. eine gewichtige Rede   _hochtrabendes_ Geschwätz

2. flexibles Verhandeln   _____ Kriecherei

3. leidenschaftsloses Abwarten   _____ Untätigkeit

4. feierliche Stellungnahme   _____ Deklamation

5. bedächtiges Vorgehen   _____ Bummelei

6. ironische Kritik   _____ Nörgelei

7. aufrichtige Vorhaltungen   _____ Beleidigungen

8. wagemutiges Vorgehen   _____ Vorpreschen

9. gebieterische Forderungen   _____ Befehle

10. einfaches Leben   _____ Vegetieren

11. sorgfältige Prüfung   _____ Wortklauberei

12. gewandte Verteidigung   _____ Herausreden

hochtrabend • apathisch • herrisch • pathetisch • primitiv • pedantisch • raffiniert • rückgratlos • taktlos • träge • tollkühn • verletzend

19

DAS ADJEKTIV

SYNONYME

!1 Ersetzen Sie das Wort „ganz".

1. Er ist am Kopf schwer verletzt, aber der Schädelknochen ist
   ganz / ___unversehrt___ geblieben.

2. Ist das Fahrrad bei dem Unfall ganz / _____
   geblieben?

3. Nein, es war kaputt, aber jetzt ist es wieder
   ganz / _____.

4. Es waren ganze / _____ fünf Personen
   im Kino.

5. Der Film hat mir ganz / _____ gut gefallen;
   ich habe allerdings schon bessere gesehen.

6. Die ganze / _____ Klasse war mucksmäuschenstill.

7. Er ist ein ganzer / _____ Kerl.

8. Du darfst erst spielen, wenn du deine Hausaufgaben
   ganz / _____ erledigt hast.

9. Auf der Straße war es ganz / _____ ruhig.

10. Ich bin ganz / _____ Ihrer Meinung.

11. Sie blieb eine ganze / _____ Stunde.

12. Das Bauland wird nur ganz / _____ verkauft.

---

unversehrt • gesamt • nur • repariert • tüchtig • voll • vollkommen • vollständig •
unbeschädigt • uneingeschränkt • ungeteilt • ziemlich

!2 Was ist richtig? Kreuzen Sie an.

1. Die Aufgabe enthält den ◯ vollkommenen ⊗ ungekürzten Text.

2. Es hat ◯ volle ◯ vollständige zwei Wochen geregnet.

3. Die Aufgaben sind ◯ ausnahmslos ◯ vollzählig falsch gelöst.

4. Der Marktplatz war ◯ vollauf ◯ vollkommen leer.

5. Die Mitglieder waren pünktlich und ◯ alle ◯ vollzählig am Versammlungsort.

6. ◯ Gesamte ◯ Sämtliche Zuschauer pfiffen den Schiedsrichter aus.

7. Das ◯ gesamte ◯ sämtliche Publikum verließ unter Protest den Saal.

8. Ich lehne diese Forderung ◯ rundweg ◯ vollendet ab.

9. Wir müssen zu einer ◯ einheitlichen ◯ lückenlosen Stellungnahme kommen.

10. Wir brauchen eine ◯ völlige ◯ vollständige Liste des Inventars.

11. Sie haben ◯ voll ◯ völlig recht.

12. Sie haben mich damit vor eine ◯ vollendete ◯ vollkommene Tatsache gestellt.

3 Synonyme für „klug". Welches Wort passt?

1. Der Verbrecher war sehr **?** , aber er wurde doch überführt.

   ⊗ gerissen ◯ klug ◯ vernünftig

2. Das war eine **?** Entscheidung.

   ◯ aufgeweckte ◯ helle ◯ vernünftige

3. Ich habe selten ein so **?** Buch gelesen.

   ◯ begabtes ◯ geistreiches ◯ umsichtiges

4. Fallen Sie nicht wieder auf diesen **?** Verführer herein.

   ◯ listigen ◯ gescheiten ◯ verständigen

5. Man glaubt messen zu können, wie **?** ein Mensch ist.

   ◯ geistvoll ◯ intelligent ◯ klug

6. Es gab eine **?** Begründung.

   ◯ gelehrige ◯ altkluge ◯ scharfsinnige

7. Das können Sie einem Tier nicht beibringen, und wenn es noch so **?** ist.

   ◯ gelehrig ◯ gescheit ◯ gewitzt

SYNONYME

8. Natürlich, du bist ja ein **?** Köpfchen.

    ⃝ vernünftiges ⃝ verständiges ⃝ helles

9. Ein Fuchs ist viel zu **?** , um in diese Falle zu gehen.

    ⃝ aufgeweckt ⃝ gelehrig ⃝ schlau

10. Das Kind ist mir ein wenig zu **?** .

    ⃝ geistreich ⃝ altklug ⃝ scharfsinnig

11. Nicht alle Leute werden **?** , wenn sie alt werden.

    ⃝ weise ⃝ intelligent ⃝ klug

12. Es macht Freude, mit so **?** Kindern zu arbeiten.

    ⃝ aufgeweckten ⃝ geistreichen ⃝ listigen

4 Synonyme für „dumm". Was passt?

1. Der Film war im höchsten Grade **?** .

    ⃝ beschränkt ⃝ dümmlich ⊗ stumpfsinnig

2. Wäre ich doch bloß nicht so **?** gewesen!

    ⃝ dümmlich ⃝ dämlich ⃝ beschränkt

3. Der arme Kerl ist leider ein wenig **?** .

    ⃝ einfältig ⃝ idiotisch ⃝ unklug

4. Ich fürchte, Sie sind **?** vorgegangen.

    ⃝ blöd ⃝ stumpfsinnig ⃝ unklug

5. Alex, nimm dich zusammen und gib keine **?** Antworten.

    ⃝ blöden ⃝ törichten ⃝ doofen

6. Sie macht einen netten, aber etwas **?** Eindruck.

    ⃝ dümmlichen ⃝ blöden ⃝ unsinnigen

7. Gebt endlich diesen **?** Plan auf.

    ⃝ beschränkten ⃝ idiotischen ⃝ dümmlichen

8. Ein **?** Geist wird die Tiefe dieser Gedanken nie verstehen können.

    ⃝ dusseliger ⃝ dummer ⃝ beschränkter

5 Falsche Freunde. Welches deutsche Wort entspricht dem Fremdwort?

1. *Eventuell* haben Sie recht.   (×) vielleicht   ○ schließlich

2. Peter ist wirklich *genial*.   ○ freundlich   ○ sehr begabt

3. Das ist aber eine *kuriose* Person!   ○ neugierige   ○ sonderbare

4. Sei nicht so *affektiert*!   ○ gekünstelt   ○ gefühlvoll

5. Diese Ausdrucksweise ist *ordinär*.   ○ unanständig   ○ üblich

6. Sie ist sehr *sensibel*.   ○ empfindsam   ○ vernünftig

7. Das sind *brave* Leute.   ○ mutige   ○ ordentliche

8. Die Leute waren *salopp* gekleidet.   ○ zwanglos   ○ schmutzig

9. Das ist ein *raffinierter* Plan.   ○ feiner   ○ durchtriebener

10. Moritz ist ein *fideler* Junge.   ○ lustiger   ○ treuer

11. Der Schüler hat eine *faire* Note bekommen.   ○ gerechte   ○ durchschnittliche

12. Die Tänzerin war sehr *graziös*.   ○ freundlich   ○ anmutig

6 Was ist richtig?

1. Der Vogel ist **?** .

    ○ brav   ○ artig   (×) zahm

2. Kleine Kinder sind manchmal **?** .

    ○ ängstlich   ○ feige   ○ unmutig

3. Unsere finanziellen Mittel sind leider **?** .

    ○ klein   ○ eng   ○ knapp

4. Die Straßen waren **?** .

    ○ geräumig   ○ weit   ○ breit

5. Inge wohnt **?** gegenüber.

    ○ schief   ○ schräg   ○ krumm

6. Es ist **?** , ein Trinkgeld zu geben.

    ○ üblich   ○ gewöhnlich   ○ ordinär

SYNONYME

7. Das Wasser ist mir zu **?** .

   ○ heiß   ○ schwül   ○ drückend

8. Schade, dass Frau Schäfer so oft **?** ist.

   ○ krankhaft   ○ krank   ○ ungesund

9. Bei dieser **?** Kälte lasse ich das Auto in der Garage.

   ○ energischen   ○ strengen   ○ harten

10. Ich brauche eine **?** Schüssel.

    ○ seichte   ○ flache   ○ ebene

11. Wir haben uns **?** mit Proviant versehen.

    ○ reichlich   ○ reich   ○ viel

12. Ich will die **?** Bücher nicht nach Hause schleppen.

    ○ fetten   ○ beleibten   ○ dicken

!7 Es gibt Leute, die gerne übertreiben. Was passt?

1. Was andere groß nennen, nennen sie ____*riesig*____ .

2. Wenn andere erstaunt sind, sind sie _____ .

3. Wo es andere kalt finden, finden sie es _____ .

4. Wenn andere niedergeschlagen sind, sind sie _____ .

5. Was anderen unangenehm ist, ist ihnen _____ .

6. Was andere gründlich ändern, ändern sie _____ .

7. Wen andere zerstreut finden, finden sie _____ .

8. Wenn andere erschreckt sind, sind sie _____ .

9. Wen andere eigensinnig nennen, nennen sie _____ .

10. Was für andere lange dauert, dauert für sie _____ .

11. Wo es für andere dunkel ist, ist es für sie _____ .

12. Was andere als boshaft bezeichnen, bezeichnen sie als _____ .

riesig • eisig • entsetzt • ewig • finster • radikal • tückisch • unerträglich •
verblüfft • verstockt • verzweifelt • zerfahren

8 Ergänzen Sie weitere Übertreibungen.

1. Was andere für klein halten, halten sie für ___*winzig*___.

2. Wenn andere sich unwohl fühlen, fühlen sie sich _____.

3. Was andere für tief halten, halten sie für _____.

4. Was für andere plötzlich geschieht, geschieht für sie _____.

5. Was anderen hässlich erscheint, erscheint ihnen _____.

6. Was anderen schmerzlich ist, ist ihnen _____.

7. Scheint anderen die Sonne heiß, so scheint sie ihnen _____.

8. Was andere mutig nennen, nennen sie _____.

9. Was andere für eindrucksvoll halten, halten sie für _____.

10. Fühlen andere sich müde, fühlen sie sich _____.

winzig • abstoßend • elend • erschöpft • glühend • jäh • kühn • qualvoll •
überwältigend • unergründlich

DAS ADJEKTIV

Adjektiv

WORTFAMILIEN

1 Welches Wort passt?

A	fragwürdig	fraglich	gefragt

1. Diese neuen Computer sind sehr ___ *gefragt* ___.
2. Ich finde sein Verhalten der Freundin gegenüber ausgesprochen

   _____.

3. Es ist _____, ob wir rechtzeitig ankommen.

B	sorgfältig	besorgt	sorgenvoll

1. Ich bin _____, weil die Kinder noch nicht zu Hause sind.
2. Er legte die Sachen _____ in den Koffer.
3. Die Mutter beugte sich _____ über das kranke Kind.

C	gerecht	recht	richtig

1. Habe ich nicht _____?
2. Das war ein _____ Urteil.
3. Die Antwort war _____.

D	reizbar	gereizt	reizend

1. Wie _____ von Ihnen, dass Sie mich abholen.
2. Sie ist immer nervös und _____.
3. Man hörte der _____ Antwort an, wie sehr er sich ärgerte.

E	rührend	gerührt	rührig

1. Die Krankenschwester sorgt _____ für den Patienten.
2. Die alte Dame ist noch erstaunlich _____.
3. _____ nahm er die Glückwünsche entgegen.

F	beißend	bissig	verbissen

1. Vorsicht! _____ Hund.
2. Diese _____ Hartnäckigkeit wird dich auch nicht weiterbringen.
3. Er sprach mit _____ Ironie.

G	allgemein	gemein	gemeinsam

1. Das ist doch _____ bekannt.
2. Wie _____ von dir!
3. Wir müssen _____ gegen dieses Unrecht vorgehen.

H	genug	genügend	genügsam

1. Man muss _____ sein und nicht alles haben wollen.
2. Die Examensarbeit war leider nur _____.
3. Möchten Sie noch etwas? Danke, ich habe _____.

2 Was ist richtig?

A	irrsinnig	irrig	irrtümlich

1. Er hat mir _____*irrtümlich*_____ 10 Euro zu viel herausgegeben.
2. Ich halte das für eine _____ Ansicht.
3. Es ist doch _____, für ein Auto so viel Geld auszugeben.

B	gierig	begierig	begehrt

1. Nicht so _____! Lass den anderen auch noch etwas übrig.
2. Greifen Sie schnell zu! Dieser Artikel ist sehr _____.
3. Er war nicht sehr _____ die Wahrheit zu hören.

DAS ADJEKTIV

WORTFAMILIEN

C	redselig	beredt	redlich

1. Sie können ihr vertrauen; sie ist _____.
2. Der Abgeordnete setzte sich sehr _____ für die Reform ein.
3. Frau Klein ist am Telefon. Das wird lange dauern; sie ist so _____.

D	entrüstet	gerüstet	rüstig

1. Er wies die Anschuldigung _____ von sich.
2. Die Forscher waren für ihr Unternehmen gut _____.
3. Der alte Mann ist noch erstaunlich _____.

E	schweigsam	verschwiegen	stillschweigend

1. Der Streit wurde _____ begraben.
2. Warum so _____ heute?
3. Sie können ihm alles anvertrauen; er ist _____.

F	aufdringlich	eindringlich	vordringlich

1. Diese Arbeit ist _____; damit müssen wir sofort anfangen.
2. Auch _____ Ermahnungen haben nichts genutzt.
3. Warum gehst du Paul aus dem Weg? Ach, er ist so _____.

G	vertraulich	vertraut	vertrauensvoll

1. Bitte, sprich nicht darüber! Das ist eine _____ Mitteilung.
2. Sind Sie mit den einschlägigen Gesetzen _____?
3. Der Patient wandte sich _____ an seinen Arzt.

H	bindend	bündig	verbindlich

1. Er verabschiedete sich mit ein paar _____ Worten.
2. Kurz und _____, ich bin einverstanden.
3. Ich habe seine _____ Zusage.

❗3 Zum Verwechseln ähnlich. Was passt?

A	unerhört	ungehörig

1. Der Schauspieler hatte einen ____ *unerhörten* ____ Erfolg.
2. Es ist _____, beim Essen mit vollem Mund zu sprechen.

B	unausstehlich	unwiderstehlich

1. Ich weiß nicht, warum du heute so _____ bist.
2. Lena zögerte, aber die Sahnetorte sah _____ aus.

C	unverwandt	unumwunden

1. Sie sagte _____ ihre Meinung.
2. Die Kinder starrten den Fremden _____ an.

D	ungesättigt	unersättlich

1. Der Junge ist ein _____ Leser von Abenteuergeschichten.
2. In Margarine sind _____ Fettsäuren enthalten.

E	ungebunden	unbändig

1. Peter ist noch Junggeselle und ganz _____.
2. Das Publikum lachte _____ über die Witze des Komikers.

WORTFAMILIEN

F	unaufhaltsam	ungehalten

1. Die Preissteigerung wird _____ weitergehen.
2. Der Richter war _____ über die Äußerung aus dem Publikum.

G	unbeschreiblich	unbeschrieben

1. Der junge Mann ist noch ein ganz _____ Blatt.
2. Es war _____ heiß.

H	ungebeten	unerbittlich

1. Die Betrunkenen wollten in das Hotel, aber der Portier ließ die _____ Gäste nicht herein.
2. Trotz aller Tränen blieb die Mutter _____.

-lich und *-bar*

1 Was passt? Setzen Sie ein.

A	absehbar	absichtlich

1. In _____**absehbarer**_____ Zeit wird sich daran nichts ändern.
2. Er hat das sicher nicht _____ getan.

B	haltbar	erhältlich

1. Wo ist dieses Material _____?
2. Der Stoff scheint mir nicht sehr _____ zu sein.

C	greifbar	begreiflich

1. Das Buch ist leider im Augenblick nicht _____.
2. Es war ein _____ Irrtum.

D	wunderbar	wunderlich

1. _____, wie Sie das gemacht haben!
2. Schade, dass die alte Frau so _____ geworden ist.

E	brauchbar	gebräuchlich

1. Dieser Ausdruck ist nicht mehr _____.
2. Ist die Maschine wirklich nicht mehr _____?

F	lösbar	löslich

1. Das Pulver ist leicht _____.
2. Die Aufgabe war kaum _____.

DAS ADJEKTIV

ENDSILBEN

G	denkbar	bedenklich

1. Es ist kaum _____, dass sie ihren Entschluss noch ändert.

2. Finden Sie diesen Plan nicht auch _____?

H	sonderbar	sonderlich

1. Sie hat sich nicht _____ über das Geschenk gefreut.

2. Wie _____, dass Sie das nicht sofort gemerkt haben.

!2 Was ist richtig? Kreuzen Sie an.

1. Ich halte diesen Weg nicht für ⊗ gangbar ◯ vergänglich.

2. Der neue Kunststoff ist sehr gut ◯ förmlich ◯ formbar.

3. Das war nur ◯ bildlich ◯ bildbar gemeint.

4. Ihre Fortschritte sind ◯ beachtlich ◯ achtbar.

5. Die Artikel in dieser Zeitung sind wirklich gut ◯ leserlich ◯ lesbar.

6. Die Schlossruine ist nicht mehr ◯ wohnlich ◯ bewohnbar.

7. Der Fernsehtisch ist ◯ gefährlich ◯ fahrbar.

8. Die Küste ist noch nicht ◯ sichtlich ◯ sichtbar.

-lich und -ig

1 Was passt? Setzen Sie ein.

A	geschäftig	geschäftlich

1. Ich habe in Köln ____*geschäftlich*____ zu tun.

2. Die Wirtin lief _____ umher.

B	tauglich	tüchtig

1. Das war ein _____ Stück Arbeit.
2. Glauben Sie, dass er für diese Arbeit _____ ist?

C	schlüssig	schließlich

1. Sie müssen es _____ am besten wissen.
2. Ich halte das nicht für einen _____ Beweis.

D	zeitig	zeitlich

1. Ich möchte gern mitmachen, aber ich schaffe es _____ nicht.
2. Bitte kommen Sie _____!

E	abhängig	anhänglich

1. Das kleine Mädchen ist sehr _____.
2. Er ist finanziell von seinen Eltern _____.

F	willig	willentlich

1. Er hat sie sicher nicht _____ verletzt.
2. Sie arbeitet leider nicht _____ mit.

G	tätig	tätlich

1. Wie schön, dass die alte Dame noch so _____ sein kann.
2. Der Betrunkene wurde _____.

H	farbig	farblich

1. Der Teppich gefällt mir _____ nicht.
2. Sie schilderte die Reiseabenteuer sehr _____.

DAS ADJEKTIV

ENDSILBEN

! 2 Was ist richtig? Kreuzen Sie an.

1. Leider hat er gar keine ◯ geistlichen ⊗ geistigen Interessen.
2. Der alten Frau wurde die Arbeit doch recht ◯ beschwerlich ◯ schwierig.
3. Wir müssen neben der privaten auch die ◯ rechtliche ◯ richtige Seite berücksichtigen.
4. Das ist nur so eine ◯ zugängliche ◯ gängige Redensart.
5. Schließlich saßen die Freunde doch wieder ◯ einträglich ◯ einträchtig zusammen.
6. Ich brauche bis Freitag eine ◯ verbindliche ◯ bündige Antwort.
7. Trotz seiner Jugend ist er sehr ◯ verständlich ◯ verständig.
8. Der Vertrag sieht eine ◯ monatliche ◯ einmonatige Kündigungsfrist vor.

-lich und -sam

1 Was passt? Setzen Sie ein.

A	gräulich	grausam

1. Wir hatten im Urlaub ___*gräuliches*___ Wetter.
2. Es ist _____, einen Hund an so einer kurzen Kette zu halten.

B	spärlich	sparsam

1. Mit diesem Mittel müssen Sie _____ umgehen.
2. Er musste mit seinen _____ Mitteln sehr haushalten.

C	betrieblich	betriebsam

1. Herr Müller hat _____ Schwierigkeiten.
2. Setz dich doch einmal hin und sei nicht immer so _____.

D	länglich	langsam

1. Er hatte ein _____ Paket unter dem Arm.

2. Wenn man zu _____ fährt, bildet sich rasch eine Autoschlange.

E	wirklich	wirksam

1. Ist dieses Medikament auch _____?

2. Hat sie das _____ gesagt?

F	empfindlich	empfindsam

1. Drück nicht so, die Stelle ist noch _____.

2. Das Kind ist sehr zartfühlend und _____.

G	fürchterlich	furchtsam

1. Dieser Film war einfach _____!

2. Petra ist so _____; sie hat vor vielen Dingen Angst.

H	beachtlich	achtsam

1. Die Firma hat im letzten Jahr eine _____ Umsatzsteigerung erzielt.

2. Sei _____ und tritt nicht auf die jungen Pflänzchen.

DAS ADJEKTIV

-ig, -lich und **-haft**

1 Was passt? Setzen Sie ein.

A	neblig	nebelhaft

1. Ich habe nur eine ___*nebelhafte*___ Erinnerung an das Zusammentreffen.
2. Wenn es so _____ bleibt, werden wir nicht landen können.

B	ständig	standhaft

1. Alle Achtung. Er ist _____ geblieben.
2. Musst du _____ nörgeln?

C	schrecklich	schreckhaft

1. Vorsicht! Sie ist sehr _____.
2. Bei diesem _____ Regen kannst du doch nicht spazieren gehen.

D	schmerzlich	schmerzhaft

1. Die Wunde ist noch sehr _____.
2. Es war eine _____, aber notwendige Entscheidung.

E	lebendig	lebhaft

1. Ich fühle mich heute Abend mehr tot als _____.
2. Die Schauspieler freuen sich über den _____ Beifall.

F	herzlich	herzhaft

1. Die Kinder haben einen _____ Appetit.
2. _____ Dank für Ihre Hilfe.

G	kränklich	krankhaft

1. Dein Misstrauen ist fast schon _____.
2. Meine Mutter ist schon lange _____.

H	schädlich	schadhaft

1. Wir müssen die _____ Stellen des Daches ausbessern lassen.
2. Rauchen ist _____ für die Gesundheit.

-lich und -isch

1 Was passt? Setzen Sie ein.

A	kindlich	kindisch

1. Seien Sie froh, dass Ihre Tochter noch so ___*kindlich*___ ist.
2. Was soll dieser _____ Unsinn?

B	bäuerlich	bäurisch

1. _____ Trachten verschwinden immer mehr.
2. Benimm dich nicht so _____!

C	herrlich	herrisch

1. Sie hat eine _____ Art.
2. Wirklich eine _____ Landschaft!

DAS ADJEKTIV

ENDSILBEN

D	parteilich	parteiisch

1. Die inner_____ Schwierigkeiten nahmen in letzter Zeit immer mehr zu.
2. Versuche die Angelegenheit objektiv und nicht _____ zu beurteilen.

E	göttlich	abgöttisch

1. Der Mann liebte seine Frau _____.
2. Wir lauschten der _____ Musik.

F	angeblich	angeberisch

1. Der Angeklagte war _____ am Abend der Tat zu Hause.
2. Dieses Auto ist mir zu _____.

G	künstlich	künstlerisch

1. Leider hat der Raum nur _____ Licht.
2. Am _____ Wert der Ausstellung wurde vielfach gezweifelt.

H	heimlich	heimisch

1. Sie haben sich immer _____ getroffen.
2. Es dauerte lange, bis er sich an seinem neuen Wohnort _____ fühlte.

Adjektive und Adverbien gleichen Stammes mit verschiedenen Endsilben

-lich	-bar	-ig	-sam	-isch	-haft
absichtlich	absehbar				
angeblich				angeberisch	
anhänglich		abhängig			
bäuerlich				bäurisch	
beachtlich	achtbar		achtsam		
bedenklich	denkbar	bedächtig			
begreiflich	greifbar				
beschwerlich		schwierig			
betrieblich			betriebsam		triebhaft
	biegbar		biegsam		
bildlich	bildbar				bildhaft
einträglich		einträchtig			
empfindlich			empfindsam		
erhältlich	haltbar				
farblich		farbig			
förmlich	formbar				
fröhlich		freudig			
		geduldig	duldsam		
gefährlich	fahrbar	fahrig			
geistlich		geistig			geisterhaft
genüsslich	genießbar			genießerisch	
geschäftlich		geschäftig			
		gewaltig	gewaltsam		
göttlich				abgöttisch	
gräulich			grausam		grauenhaft
gütlich		gütig			

ENDSILBEN

-lich	-bar	-ig	-sam	-isch	-haft
		heilig	heilsam		
heimlich				heimisch	
herrlich				herrisch	
herzlich		herzig			herzhaft
höflich				höfisch	
	hörbar	hörig	gehorsam		
kindlich				kindisch	
köstlich	kostbar				
kränklich					krankhaft
künstlich				künstlerisch	
länglich			langsam		
		launig		launisch	
		lebendig			lebhaft
leserlich	lesbar				
löslich	lösbar				
		neblig			nebelhaft
nützlich	nutzbar				
öffentlich	offenbar				
parteilich				parteiisch	
rechtlich		richtig			
		rissig		reißerisch	

-lich	-bar	-ig	-sam	-isch	-haft
schädlich					schadhaft
schließlich	verschließbar	schlüssig			
schmerzlich					schmerzhaft
schrecklich					schreckhaft
sichtlich	sichtbar				
sonderlich	sonderbar				
spärlich			sparsam		
			strebsam	streberisch	
sträflich	strafbar				
	streitbar	strittig			
tätlich		tätig			
tauglich		tüchtig			tugendhaft
				träumerisch	traumhaft
verbindlich		bündig			
vermutlich		mutig			
verständlich		verständig			
wahrscheinlich	scheinbar				
weiblich				weibisch	
willentlich		willig			
wirklich				wirksam	
wohnlich	bewohnbar				wohnhaft
wunderlich	wunderbar				
	zählbar	unzählig			
zeitlich		zeitig			

DAS NOMEN

GEGENSÄTZE

1 Verschiedene Wünsche

A Frau Adam wünscht sich   Was mag sie nicht?

   1. Freundschaft   _Feindschaft_

   2. Liebe   _____

   3. Freude   _____

   4. Zuneigung   _____

   5. Anteilnahme   _____

   6. Geborgenheit   _____

   7. Heiterkeit   _____

   8. Tätigkeit   _____

---

die Feindschaft • die Abneigung • die Gleichgültigkeit • der Hass • die Langeweile •
das Leid • die Traurigkeit • die Verlassenheit

B Herr Bauer sucht im Beruf   Was fürchtet er?

   1. Erfolg   _Misserfolg_

   2. Lob   _____

   3. Rücksicht   _____

   4. Höflichkeit   _____

   5. Anerkennung   _____

   6. Zustimmung   _____

   7. Nutzen   _____

   8. Gewinn   _____

---

der Misserfolg • die Grobheit • die Missachtung • die Rücksichtslosigkeit •
der Schaden • der Tadel • der Verlust • der Widerspruch

C Herr Conrad verlangt für das
öffentliche Leben

Was lehnt er ab?

1. Freiheit   _Zwang_
2. Toleranz
3. Fortschritt
4. Frieden
5. Gerechtigkeit
6. Sicherheit
7. Aufbau
8. Ordnung

---

der Zwang • das Chaos • die Intoleranz • die Gefahr • der Krieg •
der Stillstand • die Willkür • die Zerstörung

ÜBERGEORDNETE BEGRIFFE

1 Ergänzen Sie.

1. Geige und Klavier sind ___*Musikinstrumente*___.
2. Uhr und Waage sind _____.
3. Ring und Brosche sind _____.
4. Löwe und Maus sind _____.

5. Bäume und Blumen sind _____.
6. Banane und Apfel sind _____.
7. Messer und Gabel sind _____.
8. Mechaniker und Schlosser sind _____.
9. Rechtsanwalt und Richter sind _____.
10. Chemiker und Biologe sind _____.
11. Schauspieler und Sänger sind _____.
12. Kilometer und Kilogramm sind _____.

Musikinstrumente • Besteck • Handwerker • Künstler • Maße • Juristen • Messgeräte • Naturwissenschaftler • Obst • Pflanzen • Schmuck • Tiere

2 Was fehlt? Ergänzen Sie.

Ge-	-mittel	-stück	-zeug

1. Eine U-Bahn ist ein   Verkehrs*mittel*.
2. Eine Münze ist ein   Geld_____.
3. Ein Rathaus ist ein   _____bäude.
4. Ein Auto ist ein   Fahr_____.
5. Ein Hammer ist ein   Werk_____.
6. Ein Mantel ist ein   Kleidungs_____.
7. Ein Brief ist ein   Schrift_____.
8. Tee ist ein   _____tränk.
9. Schokolade ist ein   Genuss_____.
10. Kohl ist ein   _____müse.
11. Baldrian ist ein   Beruhigungs_____.
12. Bleistifte sind   Schreib_____.

DAS NOMEN

ZUORDNUNGEN

1 Was passt zusammen? Verbinden Sie.

Wir erwarten von

1. einem Richter   Ausdauer
2. einem Handwerker   Gewissenhaftigkeit
3. einem Freund   Gerechtigkeit
4. einer Ärztin   Geschicklichkeit
5. einem Polizisten   Ehrlichkeit
6. einem Sportler   Treue
7. einer Kassiererin   Wissbegierde
8. einem Studenten   Wachsamkeit

2 Ergänzen Sie passend.

1. Eine Rechtsanwältin hat   _Klienten_ ,
2. ein Arzt   _____ ,
3. ein Hauswirt   _____ ,
4. eine Wirtin   _____ ,
5. ein Verein   _____ ,
6. eine Tagung   _____ ,
7. eine Zeitung   _____ ,
8. ein Bus   _____ ,
9. ein Haus   _____ ,
10. eine Stadt   _____ .

Klienten • Abonnenten • Bewohner • Fahrgäste • Gäste • Mieter • Einwohner •

Mitglieder • Patienten • Teilnehmer

---

3 Was passt zusammen? Kombinieren Sie.

1. Ein Student hat   Kollegen.
2. Ein Soldat hat   Partner.
3. Eine Lehrerin hat   Kommilitonen.
4. Ein Verbrecher hat   Kumpel.
5. Ein Bergmann hat   Kameraden.
6. Eine Tänzerin hat einen Komplizen.

4 Wer bekommt was?

1. Ein Angestellter bekommt   _____Gehalt_____,
2. ein Arbeiter   _____,
3. eine Hauswirtin   _____,
4. ein Kellner   _____,
5. ein alter Beamter   _____,
6. ein alter Arbeiter   _____,
7. ein Kind   _____,
8. ein Arzt   _____,
9. eine Schauspielerin   _____,
10. ein Soldat   _____,
11. ein Matrose   _____,
12. der Staat   _____.

das Gehalt • der Lohn • die Gage • die Heuer • die Miete • die Pension •
die Steuer • die Rente • das Taschengeld • das Trinkgeld •
das Honorar • der Sold

DAS NOMEN

ZUORDNUNGEN

5 Welches Adjektiv passt?

1. Von Uhren erwarten wir, dass sie _____*zuverlässig*_____ sind,

2. von Lebensmitteln _____,

3. von Sesseln _____,

4. von Zügen _____,

5. von Kleidern _____,

6. von Kriminalromanen _____,

7. von Apfelsinen _____,

8. von Waagen _____,

9. von Messern _____,

10. von Medikamenten _____,

11. von Nadeln _____,

12. von Handschriften _____.

---

zuverlässig • bequem • spitz • frisch • genau • elegant • pünktlich • scharf •
leserlich • spannend • süß • wirkungsvoll

1 Ersetzen Sie das Wort „Interesse".

1. Die Gewerkschaften vertreten die Interessen / _____Belange_____ der Arbeitgeber.

2. Das ist in diesem Zusammenhang ohne jedes Interesse / ohne jede _____.

3. Es ist in deinem Interesse / zu deinem _____, meinen Vorschlag anzunehmen.

4. Das Interesse / die _____ der Zuhörer ließ rasch nach.

5. Bitte, richten Sie Ihr Interesse / Ihr _____ besonders auf diesen Punkt.

6. Dass ein solches Buch allgemeines Interesse / allgemeine _____ findet, ist mir unbegreiflich.

7. Sie hat für alles Interesse / nimmt an allem _____.

8. Ich habe keinerlei Interesse / _____ an dieser Art Musik.

---

die Belange • der Anteil • die Aufmerksamkeit • die Beachtung • das Augenmerk • die Bedeutung • der Gefallen • der Vorteil

---

2 Ersetzen Sie das Wort „Idee".

1. An die Suppe muss noch eine Idee / _____ein wenig_____ Salz.

2. Haben Sie eine Idee / eine _____, wann er zurückkommt?

3. Wer ist denn auf die dumme Idee / den _____ gekommen, Herrn Müller und Frau Klein zusammen einzuladen?

4. Es war Stefans Idee / _____, in dieses Lokal zu gehen.

5. Eigentlich war es meine Idee / meine _____, dir damit eine Freude zu machen.

SYNONYME

6. Manche Leute haben die Idee / die _____, man könne auch ohne Arbeit reich werden.

7. Sie hat immer eine Menge Ideen / _____, aber nichts wird verwirklicht.

8. Die Idee / der _____ ist richtig, aber die Folgen scheinen mir eher negativ.

---

ein wenig • die Absicht • die Ahnung • der Einfall • der Grundgedanke •
der Plan • der Vorschlag • die Vorstellung

---

3 *Menschen* oder *Leute*? Kreuzen Sie an.

	Menschen	Leute
1. Aus Kindern werden **?** .	○	⊗
2. Auf der Erde leben ca. über 7 Milliarden **?** .	○	○
3. Schließlich sind wir alle nur **?** .	○	○
4. Am Wochenende sollten wir mal wieder unter **?** gehen.	○	○
5. Was werden die **?** dazu sagen?	○	○
6. Ich möchte Land und **?** kennen lernen.	○	○
7. Er ist ein richtiger **?** feind geworden.	○	○
8. Ist deine Chefin eine gute **?** kennerin?	○	○

4 *Ding* oder *Sache*? Setzen Sie passend ein.

   1. Das geht nicht mit rechten ___*Dingen*___ zu.

   2. Mit diesen _____ will ich nichts zu tun haben.

   3. Kommen Sie zu____ _____!

   4. Das ist leider ein _____ der Unmöglichkeit.

   5. Es geht hier um d____ _____, nicht um die Person.

   6. Bring d____ _____ in Ordnung!

   7. Herr Müller ist heute guter _____.

   8. Ich suche nur noch meine _____ zusammen.

5 *Schluss* oder *Ende*? Kreuzen Sie an.

	Schluss	Ende
1. Mit dem Kranken geht es zu **?** .	○	⊗
2. Wir müssen **?** machen.	○	○
3. Am **?** der Straße liegt die Post.	○	○
4. Die Rede nahm kein **?** .	○	○
5. Jetzt ist aber **?** !	○	○
6. Am **?** der Vorstellung gab es viel Applaus.	○	○
7. Das ist eine Schraube ohne **?** .	○	○
8. Wir wollen unter diese Geschichte einen **?** strich ziehen.	○	○

SYNONYME

❗6 *Maschine*, *Gerät*, *Apparat* oder *Instrument*? Ergänzen Sie.

1. Hier gibt es Elektro*geräte*_____.
2. Der Chirurg prüft seine _____.
3. Wasch_____ sind billiger geworden.
4. Sein Rasier_____ ist kaputt.
5. Die Garten_____ sind schon im Schuppen.
6. Wie viele _____ spielst du eigentlich?
7. In den Fabriken stehen die _____ selten still.
8. Funktioniert Ihr Foto_____ nicht mehr?
9. Ich habe leider keine Näh_____.
10. Stell bitte das Radio_____ leiser.

❗7 Falsche Freunde. Welches deutsche Wort entspricht dem Fremdwort?

1. Hört endlich mit dem *Spektakel* auf! ⊗ Lärm ◯ Schauspiel
2. Haben Sie Ihre *Provision* bekommen? ◯ Vergütung ◯ Verpflegung
3. Was sind das für *Phrasen*! ◯ leere Worte ◯ Sätze
4. Der *Etat* ist in Unordnung. ◯ Staat ◯ Haushaltsplan
5. Der *Komfort* war sehr angenehm. ◯ Bequemlichkeit ◯ Trost
6. Hat es einen *Konkurs* gegeben? ◯ Auflauf ◯ geschäftlicher Zusammenbruch
7. Die Kinder liefen ins *Gymnasium*. ◯ Turnhalle ◯ höhere Schule
8. Wer ist der Verfasser dieser *Novelle*? ◯ Erzählung ◯ Roman

1 Welches Wort passt?

A	Aussehen	Aussicht	Aussichten

1. Von hier oben hat man eine wunderbare _____*Aussicht*_____.

2. Welche _____ haben Sie in diesem Beruf?

3. Dem _____ nach müsste sie über fünfzig sein.

B	Grube	Grab	Graben

1. Die wilde Fahrt endete im Straßen_____.

2. Der Weg führt an einer Kies_____ vorbei.

3. Das _____ Heines befindet sich auf einem Pariser Friedhof.

C	Flug	Flügel	Fliege

1. So eine lästige _____!

2. Der _____ war sehr anstrengend.

3. Der Schwan breitete seine _____ aus.

D	Pflege	Pflicht	Gepflogenheit

1. Es ist schwer, alte _____ aufzugeben.

2. Familie Kurz hat ein Kind in _____ genommen.

3. Jeder sollte seine _____ tun.

E	Fahrt	Fähre	Fährte

1. Wir wollen hier mit der Auto_____ übersetzen.

2. Nach kurzer _____ waren sie am Ziel.

3. Die Polizei verfolgt die _____ des Verbrechers.

DAS NOMEN

WORTFAMILIEN

F	Fass	Gefäß	Fassung

1. Sie verlor einen Augenblick völlig die _____.
2. Das ist ein _____ ohne Boden!
3. Haben Sie nicht ein kleineres _____?

G	Ziehung	Beziehung	Erziehung

1. Über _____ wird es immer verschiedene Theorien geben.
2. Wann ist die _____ der Lottozahlen?
3. Die besseren internationalen _____ ermöglichen viele Fortschritte.

H	Last	Belastung	Ladung

1. Der Wagen bringt eine _____ Zement.
2. Ich möchte Ihnen keine neue _____ zumuten.
3. Er trug schwer an der _____ seines Amtes.

2 Was ist richtig?

A	Wissen	Gewissen	Bewusstsein

1. Man sah ihm sein schlechtes _____*Gewissen*_____ an.
2. Nach dem Unfall war er lange Zeit ohne _____.
3. Ihr _____ auf diesem Gebiet ist bewundernswert.

B	Neuheit	Neuigkeit	Erneuerung

1. Dieses Programm ist eine echte _____.

2. Wir müssen uns um die _____ unseres Mietvertrages kümmern.

3. Ich kann Ihnen eine unglaubliche _____ erzählen.

C	Stadt	Stätte	Staat

1. Die _____ will eine Fußgängerzone einrichten.

2. Vier Regierungen haben den jungen _____ bereits anerkannt.

3. Die Unglücks_____ wurde abgesperrt.

D	Suche	Sucht	Gesuch

1. Das _____ ist abgelehnt worden.

2. Man musste die _____ nach dem abgestürzten Flugzeug aufgeben.

3. Die _____ nach Vergnügen treibt ihn abends aus dem Haus.

E	Scheu	Abscheu	Scheusal

1. Das Kind verlor nur langsam seine _____ vor dem Fremden.

2. Dieses Verbrechen konnte nur ein _____ begehen.

3. Die Presse drückte ihren _____ über den gemeinen Mord aus.

F	Deck	Dach	Decke

1. Das Wetter war so schlecht, dass die Fahrgäste nicht auf _____ sitzen konnten.

2. Es ist kalt, ich brauche eine dickere _____.

3. In dieser Gegend sieht man oft diese spitzen _____.

DAS NOMEN

VORSILBEN

Die Vorsilbe *Un-*

> *Sie wirkt verneinend (z.B. Unmöglichkeit)*
> *oder pejorativ (z.B. Untat = schlechte Tat)*
> *oder verstärkend (z.B. Unmenge = große Menge)*
> *oder abschwächend (z.B. Unklugheit).*

1 Ergänzen Sie.

1. Verschonen Sie mich mit diesem _____*Unsinn*_____.

2. In dem Diktat war eine _____ Fehler.

3. Das neue Rathaus hat eine _____ gekostet.

4. Fensterscheiben einwerfen ist grober _____.

5. Das _____ hat große Verwüstungen angerichtet.

6. Auf der Autobahn ist ein schwerer _____ passiert.

7. Es ist eine _____, den Raum so unordentlich zu hinterlassen.

8. Der _____ hat seine Kinder schwer misshandelt.

9. Das _____ muss mit der Wurzel ausgerissen werden.

10. Ich hatte nicht mit so hohen _____ gerechnet.

11. Spinnen und Flöhe sind _____.

12. Diese _____ muss ganz streng bestraft werden.

---

der Unsinn • die Unart • der Unfall • der Unfug • die Unkosten •
die Untat • das Unkraut • das Ungeziefer • der Unmensch • die Unsumme •
das Unwetter • die Unzahl

❗2 Was ist richtig? Kreuzen Sie an.

1. Sind wir zur ⊗ Unzeit ◯ Unrat gekommen?
2. Es ist ein ◯ Unbehagen ◯ Unding, in dieser Landschaft Hochhäuser zu bauen.
3. ◯ Unrast ◯ Unwesen ist das Gegenteil von Muße.
4. Die Hausbewohner klagen über den ◯ Ungunst ◯ Unfrieden in diesem Haus.
5. Schafft diesen widerlichen ◯ Unstern ◯ Unrat fort!
6. Diese Verbrecherbande treibt schon lange ihr ◯ Unrast ◯ Unwesen.

Die Vorsilben _Wieder-_ und _Wider-_

> wieder = noch einmal (z.B. Wiederwahl, Wiedersehen)
> wider = gegen (z.B. Widerrede, Widerwärtigkeit)

1 Welche Vorsilbe passt?

1. Zur ____Wieder____eröffnung des renovierten Hotels wurden viele Gäste eingeladen.
2. Es gab eine lebhafte Debatte über die _____einführung des Gesetzes.
3. Bei seinem Vorhaben hatte er viele _____sacher.
4. Der Spielfilm ist eine _____holung von gestern.
5. Der Einbrecher leistete bei der Verhaftung keinen _____stand.
6. Die _____aufnahme des Falles Schulte war sehr umstritten.
7. Der Rechtsanwalt legte _____spruch gegen das Urteil ein.
8. Bis auf _____ruf gilt diese Regelung.

EINSILBIGE NOMEN

> *Die Liste zeigt Verben und einsilbige Nomen der gleichen Wortfamilie. Die meisten Nomen sind maskulin; die Nomen mit der Endung „t" sind in der Regel feminin.*

Starke und unregelmäßige Verben

beißen	der Biss	hauen	der Hieb	stechen	der Stich
biegen	die Bucht	klingen	der Klang	stehen	der Stand
binden	das Band	können	die Kunst		die Stadt
	der Band	laden	die Last	steigen	der Steg
	der Bund	mahlen	das Mehl	streichen	der Strich
brechen	der Bruch	messen	das Maß	tragen	die Tracht
brennen	der Brand	mögen	die Macht	treiben	der Trieb
dringen	der Drang	pfeifen	der Pfiff	treten	der Tritt
essen	das Obst	reißen	der Riss	tun	die Tat
fahren	die Fahrt	reiten	der Ritt	wachsen	der Wuchs
	die Furt	schießen	der Schuss	werfen	der Wurf
finden	der Fund	schlagen	die Schlacht	ziehen	der Zug
fliegen	der Flug	schleifen	der Schliff		die Zucht
fliehen	die Flucht	schließen	das Schloss		das Zeug
fließen	der Fluss		der Schluss	zwingen	der Zwang
	das Floß	schneiden	der Schnitt		
fressen	der Fraß	schreiben	die Schrift		
frieren	der Frost	schwimmen	der Schwamm		
geben	das Gift	schwinden	der Schwund		
gehen	der Gang	schwingen	der Schwung		
gelten	das Geld	schwören	der Schwur		
gießen	der Guss	sehen	die Sicht		
graben	die Gruft	sollen	die Schuld		
haben	die Haft	sprechen	der Spruch		
hängen	der Hang	springen	der Sprung		

Schwache Verben

decken	das Dach	gönnen	die Gunst	richten	das Recht
dienen	der Dienst	gründen	der Grund	schützen	der Schutz
dörren	der Durst	jagen	die Jagd	setzen	der Satz
drängen	der Drang	leben	der Leib	suchen	die Sucht
drehen	der Draht	leuchten	das Licht	wehen	der Wind
fassen	das Fass	nähen	die Naht	wirken	das Werk
glühen	die Glut	passieren	der Pass	zürnen	der Zorn

1 Setzen Sie das Nomen ein.

1. Der __*Brand*__ konnte schnell gelöscht werden. (*brennen*)

2. Jetzt ist das _____ aber voll. (*messen*)

3. Ich verstehe den _____ Ihrer Weigerung nicht. (*gründen*)

4. Das _____ muss repariert werden. (*decken*)

5. Haben Sie genug _____ dabei? (*gelten*)

6. Schließ bitte das Fenster, ich kann keinen _____ vertragen. (*ziehen*)

7. Der starke _____ dauerte bis in den März hinein. (*frieren*)

8. Die Gefangenen gaben jeden Gedanken an _____ auf. (*fliehen*)

9. Der _____ dauerte nur drei Stunden. (*fliegen*)

10. Von hier aus ist die _____ besser. (*sehen*)

11. Mit _____ werden Sie nichts erreichen. (*zwingen*)

12. Haben Sie den _____ auch gehört? (*schießen*)

2 Wie lautet das Verb?

1. Der Fluss (__*fließen*__) mündet in das Meer.

2. Wo ist der zweite Band (_____) des Lexikons?

3. Das Floß (_____) fährt den Fluss hinunter.

4. Der Schluss (_____) des Films gefällt mir nicht.

5. Ich finde das bunte Band (_____) sehr schön.

6. Der Bund (_____) Radieschen kostet heute 98 Cent.

7. Das Schloss (_____) ist noch bewohnt.

8. Die Fahrt (_____) mit dem Zug war sehr angenehm.

9. Die beiden schließen heute den Bund (_____) fürs Leben.

10. Sie durchqueren den Fluss an einer Furt (_____).

DAS NOMEN

EINSILBIGE NOMEN

! 3 Wie heißt das Nomen?

1. Ihm wurde die _____**Last**_____ der Verantwortung zu schwer. (*laden*)

2. Bei der _____ nach Erfolg bleibt mancher auf der Strecke. (*jagen*)

3. Der _____ der Kaufkraft macht der Regierung Sorge. (*schwinden*)

4. Mag sein, dass die Opposition bei den nächsten Wahlen wieder an die _____ kommt. (*mögen*)

5. Das alte _____ kannst du doch nicht mehr anziehen! (*ziehen*)

6. Der _____ aus Westen erreicht Stärke acht. (*wehen*)

7. Sie ist mit _____ und Seele bei der Arbeit. (*leben*)

8. Die _____leistungen werden immer teurer. (*dienen*)

9. Es führte nur ein schmaler _____ zum Gipfel. (*steigen*)

10. Man hat den Angeklagten aus der _____ entlassen. (*haben*)

11. Es ist eine _____, es jedem recht zu machen. (*können*)

12. Hier sieht es ja aus wie auf einem _____feld. (*schlagen*)

Manche Wörter klingen gleich, haben aber verschiedene Bedeutungen und oft auch einen verschiedenen Artikel.

der Band (Buch)	das Band (Armband)
der Bauer (Landwirt)	das Bauer (Vogelkäfig)
der Erbe (Person)	das Erbe (Besitz)
der Flur (Korridor)	die Flur (Landschaft)
der Gehalt (Inhalt, Wert)	das Gehalt (Lohn)
der Harz (Gebirge)	das Harz (Baumsaft)
der Kiefer (Gesichtsteil)	die Kiefer (Nadelbaum)
der Kunde (Käufer)	die Kunde (Nachricht)
der Leiter (Chef)	die Leiter (tragbare Treppe)
die Maß / die Mass (1 Liter Bier)	das Maß (Länge, Höhe, Breite)
der Reis (Nahrungsmittel)	das Reis (kleiner Zweig)
der See (Binnengewässer)	die See (Ozean)
die Steuer (Geld für den Staat)	das Steuer (Lenkrad)
der Stift (Schreibgerät)	das Stift (kirchliche Institution)
der Tau (Feuchtigkeit)	das Tau (dicker Strick)
der Verdienst (Geld)	das Verdienst (Leistung)
der Weise (kluger alter Mann)	die Weise (Melodie)

die Bank (Geldinstitut – Sitzmöbel)	das Schloss (Gebäude – Türverschluss)
der Laden (Geschäft – Fensterschutz)	der Strauß (Vogel – Blumenbund)
der Schimmel (weißes Pferd – Pilzart)	die Weide (Baum – Viehwiese)

1 Setzen Sie die Artikel ein.

1. __Der__ Erbe schlug __das__ Erbe aus.

2. _____ Weide steht auf _____ Weide.

3. _____ Leiter stieg auf _____ Leiter.

4. _____ Tau ist zerrissen.

5. _____ Tau liegt morgens auf dem Gras.

6. _____ Weise eines alten Volkslieds; _____ Weise aus dem Morgenland.

7. Wie hoch ist _____ Gehalt eines Direktors in dieser Firma?

8. _____ Alkoholgehalt dieses Getränks ist gering.

9. _____ Unterkiefer ist gebrochen.

10. _____ Kiefer wächst auch auf sandigem Boden.

11. Wie hoch ist _____ Steuer für dieses Auto?

12. Bei manchen Käsesorten ist _____ Schimmel ein Bestandteil.

DAS NOMEN

ZUSAMMENSETZUNGEN

**1 Bilden Sie mit den Wörtern je zwei zusammengesetzte Nomen.
Erklären Sie beide Nomen möglichst kurz.**

1. das Fleisch, die Suppe
   - _die Fleischsuppe_
     aus Fleisch gekochte klare Suppe
   - _das Suppenfleisch_
     Fleisch, aus dem Suppe gekocht werden kann

2. das Spiel, die Karte
   - _____
     _____
   - _____
     _____

3. das Haus, der Wirt
   - _____
     _____
   - _____
     _____

4. der Ring, der Finger
   - _____
     _____
   - _____
     _____

5. das Gebiet, die Grenze
   - _____
     _____
   - _____
     _____

6. das Geld, die Tasche

   * _____

   _____

   * _____

   _____

7. der Kern, das Obst

   * _____

   _____

   * _____

   _____

8. die Blume, der Topf

   * _____

   _____

   * _____

   _____

2 Welche Zusammensetzung mit -*mut* entspricht dem in Klammern stehenden Wort?

1. Es ist erstaunlich, mit welchem _Gleichmut_ er die Vorwürfe hinnahm. (*die Gelassenheit*)

2. Ganz ohne _____ kann man keinen Erfolg haben. (*die Risikobereitschaft*)

3. Die _____ der Tänzerin entzückte die Zuschauer. (*die Grazie*)

4. Sie dachte mit leichter _____ an ihre Jugendzeit zurück. (*die Trauer*)

5. Es muss etwas getan werden, um ihn aus seiner _____ herauszureißen. (*die Melancholie*)

6. Lass die Kinder doch! Ein bisschen _____ kann nicht schaden. (*die Ausgelassenheit*)

ZUSAMMENSETZUNGEN

7. Ich finde, sein _____ wird langsam unerträglich. (*die Überheblichkeit*)

8. Die _____ ihrer Antwort reizte ihn noch mehr. (*die Milde*)

9. Es war zu bewundern, mit welchem _____ er seine Überzeugung vertrat. (*die Offenheit*)

10. Wir dürfen seine _____ nicht ausnutzen. (*die Großzügigkeit*)

---

der Gleichmut • der Freimut • der Hochmut • der Übermut • der Wagemut • die Anmut • die Großmut • die Sanftmut • die Schwermut • die Wehmut

---

3 Welches Wort gehört nicht in die Reihe? Streichen Sie durch.

1. Ringfinger, Langfinger, Mittelfinger, Zeigefinger

2. Blasmusik, Kammermusik, Zukunftsmusik, Hausmusik

3. Gartenbank, Stubenhocker, Rollstuhl, Sessel

4. Kiefernholz, Eichenholz, Zedernholz, Kerbholz

5. Husten, Ischias, Heuschnupfen, Lampenfieber

6. Leberwurst, Extrawurst, Weißwurst, Blutwurst

7. Hungertuch, Spitzentuch, Wischtuch, Handtuch

8. Schimmelpilz, Glückspilz, Giftpilz, Fliegenpilz

9. Nadelwald, Mischwald, Blätterwald, Laubwald

10. Gartenhaus, Hinterhaus, Kartenhaus, Krankenhaus

1 Boris geht gern in die Schule. Welches Verb passt?

1. In seiner Klasse wird kein Kind bevorzugt und keins _zurückgesetzt_ .
2. Die Lehrerin lobt viel und _____ wenig.
3. Sie weiß, dass Strenge manchmal mehr schadet als _____.
4. Vieles ist erlaubt und wenig _____.
5. Deshalb lieben die Kinder ihre Lehrerin auch und _____ sie nicht.
6. Sie sagen ihr die Wahrheit und _____ sie nicht.
7. Sie vergessen ihre Aufgaben nicht, sondern _____ sie gut.
8. Deshalb bleibt auch keiner sitzen, sondern alle werden _____.

zurücksetzen • behalten • hassen • belügen • nützen • tadeln • verbieten • versetzen

2 Frau Schmidt erkundigt sich nach ihrer neuen Firma. Ergänzen Sie.

1. Sorgt der Chef für das Wohl seiner Mitarbeiter oder _vernachlässigt_ er es?
2. Fördert er ihre Initiative oder _____ er sie?
3. Unterstützt der Betriebsrat den Chef oder _____ er ihn?
4. Vertrauen die Angestellten einander oder _____ sie sich?
5. Sinkt der Umsatz oder _____ er?
6. Mussten die Preise erhöht werden oder konnte man sie _____?
7. Konnte man neue Filialen eröffnen oder musste man welche _____?
8. Sind viele geschäftliche Vorhaben gelungen oder _____?

vernachlässigen • beargwöhnen • bekämpfen • scheitern • schließen • senken • steigen • unterdrücken

GEGENSÄTZE

3 Das Wetter. Tragen Sie passend ein.

1. Die Temperatur steigt.	Die Temperatur _____*sinkt*_____ .
2. Der Wind frischt auf.	Der Wind _____ .
3. Die Luft erwärmt sich.	Die Luft _____ .
4. Das Wetter bessert sich.	Das Wetter _____ .
5. Ein Gewitter zieht auf.	Das Gewitter _____ .
6. Der Sturm verstärkt sich.	Der Sturm _____ .
7. Der Himmel bewölkt sich.	Der Himmel _____ .
8. Der Nebel verdichtet sich.	Der Nebel _____ .

> sinken • sich abkühlen • aufklaren • sich auflösen • sich legen •
> nachlassen • sich verschlechtern • sich verziehen

! 4 Wie heißt das Gegenteil?

1. sein Wort halten	sein Wort ____*brechen*____
2. Beziehungen aufnehmen	Beziehungen _____
3. eine Genehmigung erteilen	eine Genehmigung _____
4. eine Bitte erfüllen	eine Bitte _____
5. einen Beruf ergreifen	einen Beruf _____
6. eine Anzeige erstatten	eine Anzeige _____
7. eine Einladung annehmen	eine Einladung _____
8. eine Verabredung einhalten	eine Verabredung _____

> brechen • abbrechen • ablehnen • abschlagen • aufgeben •
> versäumen • verweigern • zurückziehen

5 Ergänzen Sie.

1. einen Standpunkt aufgeben einen Standpunkt ____*behaupten*____
2. Maßnahmen unterlassen Maßnahmen _____
3. Schaden vermeiden Schaden _____
4. eine Berufung annehmen eine Berufung _____
5. eine Postsendung annehmen eine Postsendung _____
6. Probleme ausklammern Probleme _____
7. Schwierigkeiten ausweichen Schwierigkeiten _____
8. einen Verdacht erheben einen Verdacht _____

behaupten • anrichten • ausschlagen • lösen • treffen • überwinden • verweigern • zerstreuen

6 Was passt?

1. ein Wagnis eingehen einem Wagnis _*ausweichen*_
2. Widersprüche auflösen sich in Widersprüche _____
3. eine Krankheit überstehen einer Krankheit _____
4. den Mut verlieren Mut _____
5. auf seinem Recht bestehen auf sein Recht _____
6. die Verantwortung tragen sich der Verantwortung _____
7. eine Niederlage erleiden einer Niederlage _____
8. sein Gesicht verlieren sein Gesicht _____

ausweichen • entgehen • entziehen • erliegen • fassen • verwickeln • verzichten • wahren

GEGENSÄTZE

7 Was ist richtig? Kreuzen Sie an.

1. Hier wird ein neues Rathaus gebaut; das alte wird ◯ abgebaut ⊗ abgerissen.

2. Peter hat die Prüfung bestanden; er ist nicht ◯ ausgefallen ◯ durchgefallen.

3. Sie hob den Kopf, aber dann ◯ sank ◯ senkte sie ihn gleich wieder.

4. Du hättest das Geld sparen und nicht ◯ ausgeben ◯ vergeben sollen.

5. Du verweichlichst zu sehr; du musst dich mehr ◯ stärken ◯ abhärten.

6. Müssen Sie denn immer widersprechen? Können Sie nicht einmal
   ◯ zustimmen ◯ zusprechen?

7. Die Rechte der Mitarbeiter sollten nicht eingeschränkt, sie müssten
   ◯ erweitert ◯ verbreitert werden.

8. Unser Verein hat leider nicht gesiegt; er ist ◯ unterlegen ◯ unterworfen.

SYNONYME

1 Drücken Sie den Inhalt der direkten Rede durch ein Verb aus.

A Er sagte:

1. „Ja."   Er ___*bejahte*___ es.

2. „Ich habe es getan."   Er _____ die Tat.

3. „Ich habe es nicht getan."   Er _____ die Tat.

4. „Ich sage nichts aus."   Er _____ die Aussage.

5. „Ich bin wirklich unschuldig."   Er _____ seine Unschuld.

6. „Ich sage es noch einmal."   Er _____ seine Aussage.

7. „Ich habe den Mord gesehen."   Er _____ den Mord.

8. „Ich bin derselben Meinung."   Er _____ ____.

9. „Ich bin anderer Meinung."   Er _____.

10. „Ich habe einen Fehler gemacht." Er _____ seinen Fehler ____.

11. „Ich bin erstaunt."   Er _____ sein Erstaunen.

12. „Nein."   Er _____ die Frage.

---

bejahen • äußern • beteuern • bezeugen • gestehen • leugnen • verneinen • verweigern • widersprechen • wiederholen • zugeben • zustimmen

---

B Sie sagte:

1. „Kommen Sie mit!"   Sie ___*forderte*___ uns _*auf*_ mitzukommen.

2. „Kommen Sie bitte mit!"   Sie _____ uns mitzukommen.

3. „Ihren Ausweis, bitte!"   Sie _____ den Ausweis.

DAS VERB

SYNONYME

4. „Die Meldung ist falsch." Sie _____ die Meldung.

5. „Die Meldung ist richtig." Sie _____ die Meldung.

6. „Ich gehe nicht mit." Sie _____ _____ mitzugehen.

7. „Dieses Restaurant ist gut." Sie _____ mir dieses

  Restaurant.

8. „Nehmen Sie diese Uhr nicht!" Sie _____ mir von der Uhr

  _____.

9. „Sei aufmerksam!" Sie _____ mich zur

  Aufmerksamkeit.

10. „Ich möchte euch helfen." Sie _____ uns ihre Hilfe ___.

11. „Ich will eure Hilfe nicht." Sie _____ unsere Hilfe ____.

12. „Die Sache ist so und so." Sie _____ die Sache.

---

auffordern • ablehnen • abraten • anbieten • bestätigen • bitten • dementieren • empfehlen • erläutern • ermahnen • verlangen • sich weigern

---

2 Was ist richtig?

1. Ich möchte noch kurz **?** , dass wir uns heute Abend um 20 Uhr wieder hier treffen.

   ◯ erörtern ⊗ bemerken ◯ berichten

2. Können Sie uns das etwas genauer **?** ?

   ◯ bemerken ◯ einwerfen ◯ erklären

3. Wir müssen dieses Problem gründlich **?** .

   ◯ berichten ◯ besprechen ◯ äußern

4. Er hat gar nicht **?** , dass er zurücktreten will.

   ◯ erwähnt ◯ erörtert ◯ genannt

5. Ich bewundere es, wie Sie Ihre Gedanken **?** können.

   ◯ sprechen ◯ formulieren ◯ erwähnen

6. Alle Tageszeitungen **?** von dem Skandal.

   ◯ berichteten ◯ erwähnten ◯ erklärten

7. Ich möchte mein Bedauern über diesen Vorfall **?** .

   ◯ bemerken ◯ formulieren ◯ aussprechen

8. Wir müssen unbedingt noch den folgenden Punkt **?** .

   ◯ äußern ◯ erörtern ◯ aussprechen

9. Ich freue mich Ihnen **?** zu können, dass unser Antrag genehmigt worden ist.

   ◯ erwähnen ◯ mitteilen ◯ vortragen

10. Herr Schmidt ist auch als Kandidat **?** worden.

    ◯ berichtet ◯ geäußert ◯ genannt

11. Der Wirtschaftsminister hat dem Kabinett seine Bedenken gegen die

    Steuererhöhungen **?** .

    ◯ vorgetragen ◯ ausgesprochen ◯ berichtet

12. Wir meinen, es sei jetzt genug **?** worden; wir müssen endlich etwas tun.

    ◯ geäußert ◯ geredet ◯ mitgeteilt

SYNONYME

Sprechen	
leise:	flüstern, murmeln, tuscheln, wispern
laut:	brüllen, johlen, kreischen, rufen, schreien
gemütlich:	erzählen, plaudern, schwatzen, sich unterhalten
böse:	anfahren, brummen, keifen, knurren, poltern, zetern, schimpfen
über andere:	klatschen, lästern
dummes Zeug:	faseln, plappern, quatschen, schwätzen
kritisch:	ermahnen, kritisieren, meckern, nörgeln, tadeln
unwahr:	aufschneiden, flunkern, lügen, phantasieren, schwindeln
feierlich:	predigen, deklamieren
undeutlich:	lispeln, stammeln, stottern, lallen, radebrechen

3 Ergänzen Sie im Präteritum.

1. Heute Morgen wurde ich zeitig geweckt, weil einige Jugendliche auf der

   Straße ____*johlten*____.

2. Unsere Nachbarin riss das Fenster auf und _____: „Seid ruhig!"

3. Die Jugendlichen kümmerten sich nicht darum, bis ein Polizist sie energisch

   _____.

4. Später konnte ich hören, dass die Nachbarin im Treppenhaus mit einer

   anderen Nachbarin _____.

5. Sicher _____ die beiden wieder über andere Hausbewohner.

6. Ich ging in die Wohnküche, um ein wenig mit meinem Mann zu

   _____.

7. Auch unsere Tochter kam und wie immer hatte sie etwas zu _____.

8. Wir hörten aber nicht zu und _____ uns ruhig weiter.

9. Da hielt sie den Mund und _____ nur noch vor sich hin.

10. Da sah ich plötzlich auf die Uhr, _____ erschrocken: „Jetzt ist es

    aber allerhöchste Zeit", und eilte aus dem Haus.

---

johlen • anfahren • brummen • klatschen • plaudern • nörgeln •
rufen • schimpfen • tuscheln • unterhalten

---

4 Was ist richtig?

1. Er ◯ murmelte ⊗ flüsterte seinem Freund etwas ins Ohr.
2. Glaub ihm nicht! Er ◯ faselt ◯ schwindelt gern.
3. Der Betrunkene konnte nur noch ◯ lispeln ◯ lallen.
4. Das kleine Mädchen ◯ plapperte ◯ plauderte vor sich hin.
5. Man sieht dir doch an, dass du ◯ flunkerst ◯ tuschelst.
6. ◯ Knurre ◯ Murmle nicht so! Ich kann dich nicht verstehen.
7. Der Fremde konnte die Landessprache nur ◯ stottern ◯ radebrechen.
8. Er ◯ brüllte ◯ keifte jähzornig.
9. Der Kranke ◯ schrie ◯ polterte vor Schmerzen.
10. Die Angeklagte konnte vor Aufregung nur ◯ stammeln ◯ plappern.
11. Aha, ihr habt wohl wieder über mich ◯ gelästert ◯ gefaselt.
12. Die alte Frau ◯ kreischte ◯ schrie vor Schreck.

5 *sagen* oder *sprechen*?

1. Was hat er zu dir __*gesagt*__?
2. Das Kind kann noch wenig _____.
3. Ich muss einmal ernsthaft mit dir _____.
4. Was _____ Sie dazu?
5. Ich habe hier nichts zu _____.
6. Wir _____ schon lange nicht mehr miteinander.
7. Ich bin nicht mehr gut auf dich zu _____.
8. Das hat nichts zu _____.
9. Heute Abend _____ der Präsident im Fernsehen.
10. Herr Becker ist heute nicht zu _____.
11. Die Richterin _____ gestern das Urteil.
12. Wir haben uns nichts mehr zu _____.

SYNONYME

Gehen

schnell:	eilen, hasten, laufen, rasen, rennen, sausen, sich sputen, stürmen, stürzen
langsam:	bummeln, kriechen, schlendern, spazieren, trödeln, trotten
feierlich:	schreiten, stolzieren, wandeln
geräuschvoll:	poltern, trampeln, stampfen
geräuschlos:	geistern, huschen, schleichen, schweben, schlüpfen
fröhlich:	hüpfen, springen, tänzeln, tanzen
mit anderen:	marschieren, sich schieben, ziehen
beeinträchtigt:	hinken, humpeln, schwanken, sich schleppen, taumeln, wanken, torkeln, stapfen

! 6 Was ist richtig?

1. Die besorgte Mutter ⊗ hastete ◯ huschte zum Krankenhaus.

2. Als der Kranke aufstehen wollte, ◯ humpelte ◯ taumelte er vor Schwäche.

3. Kommt schnell! Wir müssen uns ◯ sputen ◯ stürzen.

4. Die Tänzerin ◯ geisterte ◯ schwebte über die Bühne.

5. Langsam ◯ zog ◯ schob die Menschenmenge sich weiter.

6. Es ist höchste Zeit. ◯ Trödle ◯ Schlendere doch nicht so!

7. Die Kinder ◯ sprangen ◯ polterten fröhlich im Garten herum.

8. Musst du denn so laut ◯ stapfen ◯ trampeln?

9. Wir haben Zeit, noch ein bisschen durch die Stadt zu
   ◯ schwanken ◯ bummeln.

10. Wer ist denn da eben über den Gang ◯ gehuscht ◯ gezogen?

7 *gehen* oder *laufen*?

1. ___*Lauf*___ doch schnell mal zum Briefkasten!

2. Die Uhr _____ nicht mehr.

3. Der neue Wagen _____ gut.

4. Es _____ nichts mehr in den Koffer.

5. Die aufgeregten Menschen _____ durcheinander.

6. Von jetzt an _____ es aufwärts.

7. Welcher Film _____ heute?

8. Herr Schmidt _____ zum Ersten.

9. Wie _____ die Geschäfte? Es _____ so.

10. Nein, so _____ es nicht. Wir müssen etwas anderes versuchen.

11. Der Mietvertrag _____ ein Jahr.

12. Wollen wir _____ oder den Bus nehmen?

❗8 *tun* oder *machen*?

1. Habt ihr eure Aufgaben __*gemacht*__?

2. Hat Jonas dir etwas _____?

3. Wie viel _____ das? 30 Euro.

4. Ich habe mein Bestes _____.

5. Das _____ Spaß.

6. _____ Sie keinen Fehler!

7. Leider kann ich nichts für Sie _____.

8. Sie haben mir einen großen Gefallen _____.

9. Ich _____ mir nichts aus moderner Musik.

10. _____ bitte noch etwas Salz an die Suppe.

11. Hast du schon Kaffee _____?

12. Er ist nicht wirklich krank, er _____ nur so.

DAS VERB

SYNONYME

Der Ausdruck wird verstärkt.

hart arbeiten:	schuften	*schnell laufen:*	rennen
schwer atmen:	keuchen	*stark leuchten:*	strahlen
festbinden:	fesseln	*sehr lieben:*	vergöttern
eindringlich bitten:	flehen	*stark regnen:*	gießen
stark drücken:	pressen	*laut rufen:*	schreien
sehr erhoffen:	ersehnen	*hart stoßen:*	prallen
sehr erschrecken:	entsetzen	*schnell wachsen:*	schießen
schnell essen:	schlingen	*stark wehen:*	sausen
schnell fahren:	rasen	*energisch werfen:*	schleudern
energisch fassen:	packen	*heftig zerreißen:*	zerfetzen
reichlich fließen:	strömen	*heftig zerschlagen:*	zerschmettern
laut klingen:	schallen	*energisch ziehen:*	zerren
sehr kränken:	verletzen	*stark zittern:*	beben

9 Ergänzen Sie im Präteritum.

1. Nachdem sie im Training hart __*geschuftet*__ hatten, traten die beiden Ringer endlich zum großen Kampf an.

2. Gleich anfangs _____ die Gegner hart aufeinander.

3. Sie _____ vor Erregung.

4. Sie _____ vor Anstrengung.

5. Harry _____ Bill an den Schultern.

6. Er _____ ihn zu sich herüber.

7. Aber Bill befreite sich und _____ den Gegner zu Boden.

8. Das Blut _____ ihm aus der Nase.

9. Der Beifall _____ bis auf die Straße.

10. Die Reporter _____ herbei, um den Sieger zu interviewen.

---

schuft~~en~~ • beben • keuchen • prallen • rennen • schallen • packen •
schleudern • strömen • zerren

Der Ausdruck wird abgeschwächt.

leicht berühren:	tippen	*leicht regnen:*	nieseln
schwach brennen:	glimmen	*sacht reiben:*	wischen
sacht fallen:	schweben	*sanft schaukeln:*	wiegen
wenig fließen:	tröpfeln	*leise singen:*	summen
leise gehen:	schleichen	*harmlos spotten:*	necken
leicht glänzen:	schimmern	*leicht springen:*	hüpfen
leise husten:	hüsteln	*sanft streichen:*	streicheln
flüchtig lesen:	überfliegen	*kaum trinken:*	nippen
harmlos lügen:	schwindeln	*sacht ziehen:*	zupfen

10 Was passt?

1. Er _____ *tippte* _____ mit dem Finger spöttisch an die Stirn.

2. Aus dem Wasserhahn _____ es nur.

3. Er _____ auf den Zehenspitzen aus dem Zimmer.

4. Es macht mir Sorge, dass du seit Wochen _____.

5. Sie _____ den Brief mit einem Blick.

6. Stimmt das? Hast du auch nicht _____?

7. Es _____ nur noch. Wir können gehen.

8. Ich wollte dich doch nur ein bisschen _____.

9. Sie _____ nur an ihrem Glas.

10. Die Frau _____ ihren Mann am Ärmel.

---

tippen • hüsteln • necken • nieseln • nippen • schwindeln • schleichen •
tröpfeln • überfliegen • zupfen

DAS VERB

NOMINALE FÜGUNGEN

> *Manche Verben sind Teil einer nominalen Fügung, in der die Bedeutung des Verbs verloren gegangen ist; es ist ein Funktionsverb geworden.*

1 Was passt zusammen? Verbinden Sie.

1. Verständnis	liegen
2. ein Gespräch	treten
3. vor Gericht	nehmen
4. im Streit	finden
5. Stellung	ziehen
6. zum Verkauf	führen
7. in Kraft	vertreten
8. Kritik	gehen
9. eine Meinung	stehen
10. zur Verantwortung	üben

2 Welches Verb passt?

1. Kann er *diesen Beruf* später noch ___*ausüben*___?
2. Kannst du meinen Computer *in Ordnung* _____?
3. Sie _____ *den Entschluss*, nach München zu ziehen.
4. Er muss in der Schule *ein Referat* _____.
5. Kannst du mir bitte schnell *zu Hilfe* _____?
6. Wollen Sie ihr etwas *Gesellschaft* _____?
7. Wir müssen noch *einen Vertrag* miteinander _____.
8. Geld _____ *eine* große *Rolle* bei diesem Projekt.
9. Die Firma _____ ihr einen Dienstwagen *zur Verfügung*.
10. Ich muss für das Fest noch viele *Vorbereitungen* _____.

> ausüben • halten • leisten • schließen • bringen • stellen • fassen •
> kommen • spielen • treffen

3 *bringen zu* oder *kommen zu*?

1. Kann dich denn nichts *zur Vernunft* __*bringen*__?

2. Endlich bist du *zur Vernunft* _____.

3. Wir müssen jetzt unbedingt *zum Ende* _____.

4. _____ Sie die Arbeit endlich *zu Ende*.

5. Sie sollten das Problem *zur Sprache* _____.

6. Heute _____ dieses Thema *zur Sprache*.

7. Er _____ seine Unzufriedenheit deutlich *zum Ausdruck*.

8. Seine Meinung _____ in seinem Verhalten deutlich *zum Ausdruck*.

9. Es gelang dem Arzt, den Patienten *zur Ruhe* zu _____.

10. Hoffentlich _____ sie im Urlaub etwas *zur Ruhe*.

4 *bringen in* oder *kommen in*?

1. Die Musik __*bringt*__ die Gäste schnell *in Stimmung*.

2. Norddeutsche _____ meist nicht so rasch *in Stimmung* wie Rheinländer.

3. Sie dürfen unseren Plan nicht *in Gefahr* _____.

4. Ob es dir jemals gelingt, deine Finanzen *in Ordnung* zu _____?

5. Hoffentlich _____ diese Angelegenheit bald *in Ordnung*.

6. Es wird noch etwas dauern, bis die Sache *in Gang* _____.

7. Können Sie den Motor wieder *in Gang* _____?

8. Man muss diese Anweisung sofort *in Umlauf* _____.

9. Sie ist sehr wütend und _____ richtig *in Fahrt*.

10. Er ist zu Unrecht *ins Gerede* _____.

NOMINALE FÜGUNGEN

5 versetzen in oder geraten in?

1. Der Brandgeruch __versetzte__ das Publikum *in Panik*.
2. Als die ersten Schüsse fielen, _____ die Menge *in Panik*.
3. Was hat ihn denn so *in Aufregung* _____?
4. Die Familie ist unverschuldet *in Schwierigkeiten* _____.
5. Wir sind *in große Gefahr* _____.
6. Dieser Plan _____ uns richtig *in Angst*.
7. Sie _____ mich immer wieder *in Erstaunen*.
8. Dieser Schriftsteller ist leider *in Vergessenheit* _____.
9. _____ Sie sich doch einmal *in meine Lage*!
10. Er ist *in Verdacht* _____ Steuern zu hinterziehen.

6 stehen, stellen oder setzen?

1. Wer möchte noch *eine Frage* __stellen__?
2. Haben Sie sich mit dem Sekretariat *in Verbindung* _____?
3. Er _____ für weitere Auskünfte *zur Verfügung*.
4. Sie dürfen keine unerfüllbaren *Bedingungen* _____.
5. Er hat viel *aufs Spiel* _____.
6. Der Zug _____ sich *in Bewegung*.
7. Wir _____ zu dieser Firma schon lange *in Konkurrenz*.
8. Du musst sofort *einen Antrag* _____.
9. Ich möchte noch einen wichtigen Punkt *zur Diskussion* _____.
10. Diese Frage _____ nicht *zur Debatte*.
11. Sie sollten unbedingt Ihre Chefin *in Kenntnis* _____.
12. Dieses Haus _____ schon lange *zum Verkauf*.

❗7 führen oder treiben?

1. Wir *führten* *ein* gutes *Gespräch*.

2. _____ Sie *Sport*?

3. Auch verfeindete Staaten _____ *Handel* miteinander.

4. _____ keinen *Unfug*, wenn ihr allein seid.

5. Welche Lehrerin _____ heute die *Aufsicht*?

6. Sie _____ schon seit vielen Jahren *eine* sehr gute *Ehe*.

7. Im Mittelalter _____ auch die Städte häufig *Krieg* miteinander.

8. Dieses Problem _____ ihn fast *zur Verzweiflung*.

9. Er _____ *einen Prozess* nach dem anderen und verliert dabei sein ganzes Geld.

10. Die Schüler _____ ihren *Spaß* mit dem neuen Lehrer.

❗8 fassen oder treffen?

1. Nach diesen langen Diskussionen sollten Sie endlich *einen Beschluss* *fassen*.

2. Du musst jetzt endlich *eine Entscheidung* _____.

3. Es ist leichter, *einen Vorsatz* zu _____, als ihn auszuführen.

4. Wir haben *die Vereinbarung* _____ und müssen sie auch einhalten.

5. Bei den vielen Fotos muss sie noch *eine* gute *Auswahl* _____.

6. _____ Sie nur *Mut*!

7. Er hat schon öfter *den Entschluss* _____, nicht mehr zu rauchen.

8. Welche *Maßnahmen* werden gegen das drohende Hochwasser _____?

DAS VERB

NOMINALE FÜGUNGEN

9 Wer sagt was?

Der Laie sagt: Der Fachmann sagt:

1. Wir verarbeiten nur gutes Material.   Bei uns ___ **kommt** ___ nur einwandfreies Material *zur Verarbeitung*.

2. Das kann man nicht beweisen.   Der *Beweis* kann nicht _____ werden.

3. Ich überlege, wie ich vorgehen soll.   Man sollte *Überlegungen* über das zweckmäßigste Vorgehen _____.

4. Wir müssen für die Zukunft sorgen.   Für die Zukunft muss *Vorsorge* _____ werden.

5. Mich hat das Stück sehr beeinflusst.   Das Werk hat einen großen *Einfluss* auf mich _____.

6. Ich schließe meine Arbeit jetzt ab.   Die Testreihen werden jetzt *zum Abschluss* _____.

7. Ich muss das Ergebnis kontrollieren.   Das Ergebnis wird *einer Kontrolle* _____.

8. Ich denke an einen Umbau.   Ein Umbau wird *in Erwägung* _____.

---

kommen • anstellen • bringen • erbringen • ausüben • treffen • unterziehen • ziehen

---

10 Ergänzen Sie passend.

Der Privatmann sagt: Die Behörde sagt:

1. Ich beschwere mich.   Es wurde *Beschwerde* ___ **eingelegt** ___.

2. Ich habe dir einiges vorzuwerfen.   Es wurden *Vorwürfe* _____.

3. Wir haben etwas verwechselt.   Es _____ *eine Verwechslung* _____.

4. Ich teile Ihnen etwas mit.   Sie werden davon *in Kenntnis*

_____.

5. Wir müssen nachforschen.   *Nachforschungen* müssen _____

werden.

6. Die Polizei verfolgte den   *Die Verfolgung* des Verbrechers wurde

Verbrecher.   _____.

---

einlegen • anstellen • aufnehmen • erheben • setzen • vorliegen

---

! 11 Rund um das Wort. Was passt?

A 1. Wenn in einer Versammlung ein Teilnehmer etwas sagen will, so kann er

ums Wort __**bitten**__ , sich *zu Wort* _____ oder einfach *das Wort*

_____.

2. Der Vorsitzende wird ihm *das Wort* _____. Er muss jeden *zu Wort*

_____ lassen.

3. Nur wenn jemand, der *das Wort* _____, die Redefreiheit missbraucht,

kann ihm *das Wort* _____ werden.

4. Leute, die oft den anderen *ins Wort* _____ oder versuchen, ihnen *das*

Wort im Munde _____, sind nicht beliebt.

---

bitten • entziehen • ergreifen • erteilen • fallen • haben • kommen •
melden • umdrehen

DAS VERB

NOMINALE FÜGUNGEN

B 1. Nicht jedem fällt es leicht, *das rechte Wort* zu ___finden___, oder seine
Überzeugung *in die passenden Worte* zu _____.

2. Wenn wir etwas feierlich versprechen, so _____ wir *unser Wort*. Haben
wir das getan, so müssen wir *unser Wort* _____ und dürfen *es* nicht

_____.

3. Falls jemand, der *bei seinem Wort* _____ wird, nicht *dazu* _____,
so darf er sich nicht wundern, wenn man sagt, er _____ *nichts als
Worte*.

4. Darüber ist *kein Wort* zu _____.

finden • brechen • geben • halten • kleiden • machen • nehmen • stehen • verlieren

12 Katz und Maus. Ergänzen Sie passend.

Die Mäuse hielten einmal eine Versammlung ab und berieten, wie sie
den Nachstellungen der Katze ___entkommen___ könnten. Der Vorsitzende
forderte die erfahrensten Mäuse auf, eine Lösung zu _____.
Endlich _____ sich ein junger Mäuserich zu Wort. Als ihm das Wort
_____ worden war, sagte er: „Wenn wir die Katzen zur rechten Zeit
bemerkten, dann könnten wir schnell genug die Flucht _____. Ihre
Überlegenheit liegt nicht in ihrer Geschwindigkeit, sondern vielmehr in
ihren samtenen Pfoten. Darum _____ ich der Meinung, wir müssen
der Katze ein Glöckchen umbinden, damit wir sie rechtzeitig hören. Dieser
Vorschlag _____ große Anerkennung. Und es wurde der Beschluss
_____, ihn auszuführen. Es müsse jetzt nur die Frage _____

NOMINALE FÜGUNGEN

werden, wer der Katze das Glöckchen umhängen sollte. Der Vorsitzende

_____ die Meinung, dazu könne niemand geeigneter sein als der, der

den schlauen Rat _____ habe. Da _____ der junge Mäuserich

in Verlegenheit und stotterte, er sei zu jung, er kenne die Katze nicht gut

genug. Der Vorsitzende, der sie besser kenne, werde über mehr Geschick

_____. Der Vorsitzende antwortete, gerade weil er bessere Kenntnisse

_____, werde er einen solchen Auftrag nicht _____. Auch

sonst fand sich niemand, der den Auftrag _____ wollte, und so blieb

die Herrschaft der Katzen über die Mäuse ungebrochen.

---

entkommen • ausführen • besitzen • ergreifen • erteilen • fassen • finden *(zweimal)* •
geben • geraten • melden • sein • stellen • verfügen • vertreten • übernehmen

FESTE VORSILBEN

Die Vorsilbe *be-*

> *Durch die Vorsilbe „be-" wird das Verb transitiv.*
> *Damit wird auch die Bildung des Passivs möglich.*

1 Verwenden Sie die passenden Verben mit *be-*.

1. Ich *antworte* auf die Frage.

   _Ich beantworte die Frage_____.

2. Können Sie für die Theaterkarten *sorgen*?

   _____?

3. Es ist Ihre Sache, wenn Sie meinem Rat nicht *folgen* wollen.

   _____.

4. Die Firma *liefert* fast nur an Kunden im Ausland.

   _____.

5. *Zweifeln* Sie an meinen Worten?

   _____?

6. Du darfst ihnen nicht *drohen*.

   _____.

7. Die alte Frau *klagte* über ihre Einsamkeit.

   _____.

8. Wie *urteilen* Sie darüber?

   _____?

9. Wir *wohnen* in diesem Haus.

   _____.

10. Die Zuschauer *jubelten* über den Sieg ihres Fußballvereins.

    _____.

11. Können Sie mir *raten*?

    _____?

12. Die Kinder *staunten* über die Kunststücke des Zirkusclowns.

    _____.

2 Unterschiedliche Bedeutung! Was passt?

A	wundern	bewundern

1. Ich ___*wundere*___ mich über dein Verhalten. (Ich finde es sonderbar.)
2. Ich ___*bewundere*___ dein Verhalten. (Ich finde es großartig.)

B	dienen	bedienen

1. Bitte _____ Sie sich!
2. Wozu _____ eigentlich dieser Apparat?

C	graben	begraben

1. Wir wollen unseren Streit _____.
2. Der Bagger hat ein tiefes Loch in die Erde _____.

D	greifen	begreifen

1. Das Kind _____ nach der Schokolade.
2. Hast du endlich _____, was ich meine?

E	heben	beheben

1. Der Schaden ließ sich rasch _____.
2. Der Vater _____ das Kind auf die Schulter.

F	rühren	berühren

1. In dem Zimmer _____ sich nichts.
2. Man darf die Ausstellungsstücke nicht _____.

G	schließen	beschließen

1. Was haben Sie _____?
2. Wann wird das Museum _____?

DAS VERB

FESTE VORSILBEN

H	stehen	bestehen

1. Die Anzeige _____ heute in der Zeitung.

2. _____ Sie auf Ihrer Forderung?

I	stellen	bestellen

1. Darf ich eine Frage _____?

2. Ich soll Ihnen Grüße von Richard _____.

J	stimmen	bestimmen

1. Die Rechnung _____ genau.

2. Wer hat eigentlich _____, dass das Institut geschlossen wird?

K	streiten	bestreiten

1. Es ist nicht zu _____, dass er Recht hat.

2. Warum denn immer _____? Friedlich geht es doch auch.

3 Verwandeln Sie die Nomen.

1. Zu Ehren des hohen Gastes hat man die öffentlichen Gebäude __*beflaggt*__. (*Flagge*)

2. Wer so _____ und fleißig ist, wird seinen Weg machen. (*Gabe*)

3. Der Verdächtige wird schon seit Wochen _____. (*Schatten*)

4. Er fürchtete, dass sein neuer Anzug _____ werden könnte. (*Fleck*)

5. Sie _____ den Schaden auf 1000 €. (*Ziffer*)

6. Das frühlingshafte Wetter_____ ihre Stimmung. (*Flügel*)

7. Der Himmel war nur leicht _____. (*Wolke*)

8. Die Arbeit konnte leider nicht gut _____ werden. (*Note*)

4 Manchmal schiebt sich -ig dazwischen.

1. Die Unterschrift muss ___beglaubigt___ werden. (*Glaube*)

2. Die Bewerberin mit Computerkenntnissen wird _____. (*Gunst*)

3. Der Gefangene wurde _____. (*Gnade*)

4. Dürfen wir uns an den Unkosten _____? (*Teil*)

5. Damit haben Sie ihn sehr _____. (*Leid*)

6. Sie müssen sich ihre Arbeitsunfähigkeit _____ lassen. (*Schein*)

7. Es gelang, auch die letzten Missverständnisse zu _____. (*Seite*)

8. Dieser Ausweis _____ zum Besuch der Ausstellung. (*Recht*)

5 Bilden Sie aus den Adjektiven Verben.
In einigen Fällen schiebt sich -ig (!) dazwischen.

1. Wie ein solcher Unsinn jemanden ___belustigen___ kann, verstehe ich nicht.

2. Wir müssen diesen Irrtum _____.

3. Es ist schwer, sich von alten Vorurteilen zu _____.

4. Eine solcher Fehler lässt sich durch nichts _____.

5. Der Koffer war schlecht _____ und ist vom Autodach gefallen.

6. Es gelang den Polizisten kaum, die aufgebrachten Menschen zu

_____.

7. Ich muss ehrlich sagen, dass mich Ihr Verhalten _____.

8. _____ Sie den Jungen nicht in seinem Vorhaben!

9. Ich möchte meine Rechnung _____.

10. Das Auto _____ sein Tempo.

lustig • fest (!) • frei • fremd • gleich • richtig • sanft (!) • schleunig • schön (!) • stark

DAS VERB

FESTE VORSILBEN

Die Vorsilbe *ver-*

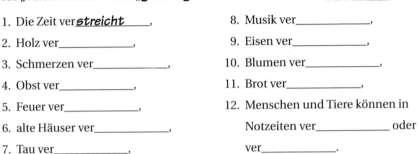

1 Was „verschwindet" oder „geht zugrunde"?

1. Die Zeit ver*streicht*_____,

2. Holz ver_____,

3. Schmerzen ver_____,

4. Obst ver_____,

5. Feuer ver_____,

6. alte Häuser ver_____,

7. Tau ver_____,

8. Musik ver_____,

9. Eisen ver_____,

10. Blumen ver_____,

11. Brot ver_____,

12. Menschen und Tiere können in Notzeiten ver_____ oder ver_____.

---

streichen • blühen • brennen • dursten • dunsten • fallen • faulen • gehen • glühen • hungern • klingen • rosten • schimmeln

---

2 Was kann man falsch machen?

1. Einen Draht kann man ver*biegen*_____.

2. Hält man seinen Freunden nicht die Treue, so ver_____ man sie.

3. Ärgert man seine Freundin, so ver_____ man sie.

4. Hört man auf falsche Argumente, so lässt man sich ver_____.

5. Der Boden ist ganz nass. Wer hat das Wasser ver_____?

6. Wieder einen ganzen Tag ver_____ und nichts geschafft!

7. Bitte, schreiben Sie den Termin auf und ver_____ Sie die Verabredung nicht!

8. Das Fernsehbild ist unklar; da hat jemand den Knopf ver_____.

9. Nehmen Sie diese ver_____ Suppe bitte wieder mit!

10. Ich habe das Buch gefunden; ich hatte es ver_____.

---

biege̶n̶ • bummeln • drehen • führen • gießen • legen • raten • salzen • säumen • stimmen

---

3 Wie kann man „sich vertun"?

1. Heute Morgen haben Sie ver**_schlafen_**____.

2. Bei den Rundfunknachrichten ver_____ Sie sich.

3. In der Zeitung ver_____ Sie sich.

4. An Ihrem Kaffee ver_____ Sie sich.

5. Sie ver_____ sich sogar auf dem Weg ins Büro.

6. Sie grüßen fremde Leute, weil Sie sich ver_____ haben.

7. Bei jedem Brief ver_____ Sie sich.

8. Bei der kleinsten Addition ver_____ Sie sich.

9. Und wenn Sie nachsehen wollen, ob das Geld noch reicht, ver_____ Sie sich.

10. Kurz, Sie ver_____ sich, wo es nur möglich ist.

---

schlafe̶n̶ • hören • laufen • lesen • rechnen • schlucken • schreiben • sehen • tun • zählen

---

DAS VERB

FESTE VORSILBEN

4 Bilden Sie aus den Adjektiven Verben.

1. Die Aufgabe ist zu schwer, kann sie nicht ver*einfacht* werden?
2. Kostspielige Verpackung ver_____ oft die Waren.
3. Sie haben nur die Hälfte der Fehler ver_____!
4. Alle Parteien bemühten sich, die politische Lage nicht weiter zu ver_____.
5. Der Widerspruch ver_____ nur seine Wut.
6. Durch Filme soll den Reisenden die Zeit ver_____ werden.
7. Für Rentner sind manche Bahnfahrten ver_____.
8. Mit diesen Fragen ver_____ Sie das Kind nur.
9. Man versucht durch Parkanlagen das Städtebild zu ver_____.
10. Ist der Abschlussbericht schon ver_____?

---

einfach • besser • billig • kurz • öffentlich • scharf • schön • stark • teuer • wirr

---

Die Vorsilbe *er-*

1 Verwenden Sie die passenden Verben mit *er-*.

1. Wer eine Sprache gründlich *gelernt* hat, hat sie __*erlernt*__.
2. Wofür man mit Erfolg *gearbeitet* hat, das hat man _____.
3. Wofür man hart *gekämpft* hat, das hat man _____.
4. Wer das Geld für sein Haus *gespart* hat, hat dieses _____.
5. Was man richtig *geraten* hat, das hat man _____.
6. Wonach man erfolgreich *gefragt* hat, das hat man _____.

FESTE VORSILBEN

2 Was passt?

1. Der tollwütige Hund musste er_schossen___ werden.
2. Vorsicht mit dem Messer! Du willst mich doch nicht er_____!
3. Der Kragen ist so eng; er er_____ mich fast.
4. Er versuchte vergeblich, seinen Kummer in Alkohol zu er_____.
5. Die Arbeitslast er_____ sie beinahe.
6. Drei Menschen sind von der Steinlawine er_____ worden.

---

schießen • drücken • schlagen • stechen • tränken • würgen

Die Vorsilbe zer-

1 Was geht kaputt, wird „zerstört" oder „zerkleinert"?

1. Unser schöner Plan hat sich zer_schlagen___.
2. Pass auf, dass du den Käfer nicht zer_____!
3. Er zer_____ unsere Bedenken.
4. Das Geld zer_____ ihnen nur so unter den Fingern.
5. Lass die Kartoffeln nicht wieder zer_____!
6. Dieser Stoff zer_____ leicht.
7. Wer hat das Glas zer_____?
8. Die alte Ruine zer_____ immer mehr.

---

schlagen • brechen • fallen • kochen • reißen • rinnen • streuen • treten

---

DAS VERB

FESTE VORSILBEN

Die Vorsilbe *ent-*

**1 Was kann man wegnehmen oder „entziehen"?
Bilden Sie passende Verben.**

1. dem Kleid die *Farbe*   – es wird __*entfärbt*__
2. der Flasche ihren *Korken*   – sie wird _____
3. dem Einbrecher die *Waffen* – er wird _____
4. dem König seinen *Thron*   – er wird _____
5. dem Körper *Gifte*   – er wird _____
6. einem Politiker die *Macht* – er wird _____
7. dem Fisch die *Gräten*   – er wird _____
8. der Milch den *Rahm*   – sie wird _____

Die Vorsilben *be-*, *er-*, *ver-*, *ent-* und *zer-*

❗1 Was passt? Setzen Sie ein.

1. Wem es nicht gefällt, immer auf viel __*befahrenen*__ Straßen zu
   _____, wird manchmal _____, dass man sich auf
   Seitenstraßen leicht _____ kann.

> befahren • erfahren • fahren • verfahren

2. Warum haben Sie nicht _____? Sie müssen sich im Straßenverkehr
   anders _____, wenn Sie Ihren Führerschein _____
   wollen. Den Strafbescheid _____ Sie in den nächsten Tagen.

> halten • behalten • erhalten • verhalten

3. Du bist schlecht _____, wenn du deinem Arzt nicht _____, was für Beschwerden du hast. _____ wird er sie nicht und er kann dir deshalb auch nicht _____.

> raten • beraten • erraten • verraten

4. Wenn Sie das Haus sofort _____ und sich hier nicht mehr sehen _____, wollen wir es bei der fristlosen Kündigung _____ und Ihnen sogar die restliche Miete _____.

> lassen • belassen • erlassen • verlassen

5. Der Abgeordnete, der sich lange mit dem Problem _____ hatte und glaubte, die Zusammenhänge genau _____ zu haben, _____ den Entschluss, eine Denkschrift zu _____.

> fassen • befassen • erfassen • verfassen

6. Wir haben uns ein kleines Haus am Stadtrand _____. Mit drei Hochhäusern, die auf einem Gelände _____ werden, das eigentlich gar nicht _____ werden sollte, _____ man uns jetzt die ganze Aussicht.

> bauen • bebauen • erbauen • verbauen

FESTE VORSILBEN

7. Sie können meinem Rat _____ oder ihn nicht _____.

_____ Sie aber Ihre Pläne weiter, so kann es sein, dass der

Vertragsabschluss gar nicht _____.

> folgen • befolgen • erfolgen • verfolgen

8. Wir haben schöne Tage im Süden _____ und viel Interessantes

_____. Die Menschen _____ dort viel mehr im Freien

und die Straßen sind auch abends noch sehr _____.

> leben • beleben • erleben • verleben

2 be-, ent-, er- oder ver-?

1. Die Zeit __ver__geht nur langsam.

2. Diese Gelegenheit will ich mir nicht ____gehen lassen.

3. Hoffentlich habe ich keine Dummheit ____gangen.

4. Sie ließ alles geduldig über sich ____gehen.

5. Im nächsten Jahr ____geht die Stadt ihre Tausendjahrfeier.

6. Er ____ging fast vor Schmerzen.

FESTE VORSILBEN

3 *be-, er-, ver-* oder *zer-*?

1. Ich will im nächsten Semester weniger Vorlesungen __*be*__legen.
2. Jetzt habe ich meine Notizen doch schon wieder ____legt.
3. Wir müssen leider unseren Besuch auf den Sommer ____legen.
4. Ein Jäger freut sich, wenn er einen Bock ____legen kann.
5. Können Sie mir einen Platz ____legen?
6. Es ist fast eine Kunst, einen Fisch richtig zu ____legen.

4 *be-, er-, ver-* oder *zer-*?

1. Der Junge hat die Scheibe mit einem Ball __*zer*__schmettert.
2. Die Verhandlungen haben sich ____schlagen.
3. Das Pferd muss neu ____schlagen werden.
4. Der Schrecken ____schlug ihm die Sprache.
5. Ich kann kaum sehen; meine Brille ist ____schlagen.
6. Ein Waldarbeiter ist von einem fallenden Baum ____schlagen worden.

5 *be-, ent-, er-, ver-* oder *zer-*?

1. Können Sie sich in meine Lage __*ver*__setzen?
2. Sie müssen den Schaden ____setzen.
3. Ist die Telefonleitung immer noch ____setzt?
4. Der Beamte wurde nach Hannover ____setzt.
5. Der Anblick ____setzte sie total.
6. Die Rollen waren in diesem Film völlig falsch ____setzt.
7. Ich warte auf Frau Braun, ich fürchte, sie hat mich ____setzt.
8. Der Präsident war über die Vorgänge ____setzt.
9. Der Zug war nur schwach ____setzt.
10. Die Säure ____setzt das Metall.

FESTE VORSILBEN

6 *be-*, *ent-* oder *ver-*?

1. Haben Sie ein Taxi __*be*__ stellt?
2. Der Erpresser _____ stellte seine Stimme am Telefon.
3. Die Narben haben ihr Gesicht _____ stellt.
4. Soll ich Ihrem Bruder etwas _____ stellen?
5. Die Zeitung hat die Worte des Ministers _____ stellt wiedergegeben.
6. Kann man den Hebel _____ stellen?

Feste Vorsilben bei Verben mit gleichem Stamm

	be-	ent-	er-	ver-
achten	beachten		erachten	verachten
arbeiten	bearbeiten		erarbeiten	verarbeiten
bauen	bebauen		erbauen	verbauen
binden		entbinden		verbinden
blühen			erblühen	verblühen
brennen		entbrennen		verbrennen
bringen			erbringen	verbringen
denken	bedenken		erdenken	verdenken
dienen	bedienen			verdienen
drängen	bedrängen			verdrängen
drücken	bedrücken		erdrücken	verdrücken
eilen	s. beeilen		ereilen	
erben	beerben	enterben		vererben
fahren	befahren		erfahren	verfahren
fallen	befallen	entfallen		verfallen
fassen	befassen		erfassen	verfassen
fehlen	befehlen			verfehlen
finden	s. befinden		erfinden	
folgen	befolgen		erfolgen	verfolgen
fragen	befragen		erfragen	
führen		entführen		verführen
geben	s. begeben		s. ergeben	vergeben
gehen	begehen	entgehen		vergehen
gelten		entgelten		vergelten
gleiten	begleiten	entgleiten		
graben	begraben			vergraben

FESTE VORSILBEN

	be-	ent-	er-	ver-
halten	behalten	enthalten	erhalten	s. verhalten
heben	beheben	entheben	erheben	s. verheben
hören			erhören	verhören
kaufen			erkaufen	verkaufen
kehren	bekehren			verkehren
kennen	bekennen		erkennen	verkennen
klagen	s. beklagen			verklagen
klingen			erklingen	verklingen
kommen	bekommen	entkommen		verkommen
lassen	belassen	entlassen	erlassen	verlassen
laufen	s. belaufen	entlaufen		s. verlaufen
leben	beleben		erleben	verleben
legen	belegen		erlegen	verlegen
leihen	beleihen	entleihen		verleihen
merken	bemerken			vermerken
packen	bepacken			verpacken
raten	beraten		erraten	verraten
rechnen	berechnen		errechnen	verrechnen
reißen		entreißen		verreißen
richten	berichten	entrichten	errichten	verrichten
rühren	berühren			verrühren
schaffen	beschaffen		erschaffen	verschaffen
schenken	beschenken			verschenken
schicken				verschicken
schlagen	beschlagen		erschlagen	verschlagen
sehen	besehen		ersehen	versehen
setzen	besetzen	s. entsetzen	ersetzen	versetzen
sichern		entsichern		versichern
sprechen	besprechen	entsprechen		versprechen
stehen	bestehen	entstehen	erstehen	verstehen
stellen	bestellen	entstellen	erstellen	verstellen
stimmen	bestimmen			verstimmen
suchen	besuchen		ersuchen	versuchen
teilen			erteilen	verteilen
treiben	betreiben			vertreiben
wachsen	bewachsen	entwachsen	erwachsen	verwachsen
wenden		entwenden		verwenden
wirken	bewirken		erwirken	verwirken
wohnen	bewohnen			
zählen			erzählen	s. verzählen
ziehen	beziehen	entziehen	erziehen	verziehen
zweifeln	bezweifeln			verzweifeln

DAS VERB

TRENNBARE VORSILBEN

1 *ab, an, auf, aus, ein, nach, vor, zu, zurück* **+ g e h e n**

1. Müllers sind nicht da; sie sind _____*aus*gegangen.

2. Ich komme gleich nach. Bitte gehen Sie schon _____.

3. Der Koffer ist zu voll, er geht nicht _____.

4. Die Palme ist mir leider _____gegangen.

5. Die Polizei geht jedem Hinweis _____.

6. Leider ging er auf meine Vorschläge nicht _____.

7. Niemand soll bei der Verlosung leer _____gehen.

8. Ich habe etwas vergessen, ich muss noch einmal _____gehen.

9. Es ist erst 7 Uhr. Ihre Uhr geht _____.

10. Es ist schon 8 Uhr. Ihre Uhr geht _____.

11. Auf dem Fest ging es lustig _____.

12. Es geht nicht _____, dass wir den Vertrag jetzt noch ändern.

13. Die Familie lebt gut; sie lässt sich nichts _____gehen.

14. Die Tür ging ganz plötzlich _____ und er kam herein.

2 *ab, an, auf, aus, ein, vor, zu, zurück* **+ l e g e n**

1. Der Staatsanwalt will Berufung _____*ein*legen.

2. Bitte legen Sie Ihren Mantel _____.

3. Ich habe meinen Geldbeutel vergessen, können Sie den Betrag bitte für mich _____legen?

4. Das Buch wird im Herbst neu _____gelegt.

5. Ich habe genug Geld für einen schönen Urlaub _____gelegt.

6. Die Bank berät Sie, wie Sie Ihr Geld am besten _____legen.

7. Nanu, haben Sie sich ein neues Auto _____gelegt?

8. Ich möchte jemand abholen, wo legt das Schiff _____?

9. Sie müssen von Bord, das Schiff legt in 10 Minuten _____.

10. Sie legte ein ärztliches Attest _____.

11. Hat der Angeklagte ein Geständnis _____ gelegt?

12. Bitte, legen Sie mir zwei Karten _____! Ich hole sie morgen ab.

13. Sie legt es doch nur darauf _____, Streit zu bekommen.

14. Wenn meine Eltern noch etwas _____ legen, kann ich mir das Kleid kaufen.

3 ab, an, auf, aus, ein, nach, vor, zu, zurück + s c h l a g e n

1. Du sollst die Tür nicht immer so laut ___*zu* schlagen.

2. Das weiß ich nicht; ich muss im Lexikon _____ schlagen.

3. Die Mutter konnte den Kindern keine Bitte _____ schlagen.

4. Ich habe ihm ein Angebot gemacht, aber er hat es _____ geschlagen.

5. Bitte, schlagen Sie die Bücher _____, wir wollen anfangen.

6. Der Termin ist am Schwarzen Brett _____ geschlagen.

7. Die Nachricht schlug _____ wie ein Blitz.

8. Ich möchte Ihnen einen Kompromiss _____ schlagen.

9. Fang keinen Streit mit dem an, der schlägt sofort _____.

10. Welchen Weg sollen wir _____ schlagen?

4 ab, an, aus, ein, vor, zu, zurück + s e t z e n

1. Er wollte gerade zu einer Antwort ___*an* setzen.

2. Wenn ihr mir so _____ setzt, willige ich nicht ein.

3. Die Gastgeberin setzte ihren Gästen ein köstliches Essen _____.

4. Die Strafe wurde zur Bewährung _____ gesetzt.

5. Das erfolglose Theaterstück wurde nach acht Tagen _____ gesetzt.

6. Der Rechtsanwalt setzte sich sehr für seinen Mandanten _____.

7. Plötzlich setzte der Motor _____.

8. Sie fühlt sich zu Unrecht _____ gesetzt.

9. Die Taxifahrerin setzt den Fahrgast vor seinem Haus _____.

10. Das ist doch gut so, was hast du nur daran _____ zusetzen?

DAS VERB

TRENNBARE VORSILBEN

5 ab, an, auf, aus, ein, vor, zu, zurück + s t e l l e n

1. Ich kann mir kaum mehr ____*vor* stellen, wie er aussieht.
2. Trotz der unvollständigen Anschrift konnte die Post den Brief _____stellen.
3. Es ist zu heiß. Stell bitte die Heizung _____!
4. Dieses Problem müssen wir vorerst _____stellen.
5. Die Firma stellt neue Mitarbeiter _____.
6. Du kannst die Tasche hier _____stellen.
7. In welchem Museum werden die Bilder _____gestellt?
8. Was hat der Junge denn schon wieder _____gestellt?
9. Bitte, stellen Sie mir ein Rezept _____.
10. Flugreisende müssen sich auf eine lange Wartezeit _____stellen.
11. Darf ich Ihnen Herrn Müller _____stellen?
12. Er hat die Mannschaft neu _____gestellt.

6 ab, an, auf, aus, ein, vor, zu, zurück + z i e h e n

1. Ich habe vergessen, meine Uhr ____*auf* zuziehen.
2. Sie müssen die Schraube fester _____ziehen.
3. Von der Rechnung können Sie drei Prozent Skonto _____ziehen.
4. Gehen Sie ins Theater? Sie sind so festlich _____gezogen!
5. Diesen Tisch kann man _____ziehen.
6. Die Gebühren werden automatisch _____gezogen.
7. Der Kamin ist nicht gut, der Rauch zieht schlecht _____.
8. Im Herbst werden die Preise wohl wieder _____ziehen.
9. Ich ziehe mein Angebot _____.

10. Die Eltern sollten ihre Kinder alle gleich behandeln und
    keines _____ziehen.

11. Die Kinder zogen den fremden Jungen _____, bis er weinte.

12. Nicht alle jungen Männer werden zum Militär _____gezogen.

13. Das Gericht beschloss, zwei Experten _____zuziehen.

14. Im Nachbarhaus sind neue Mieter _____gezogen.

7 ab, an, auf, aus, ein, frei, nach, nieder, vor, zu, zurück + l a s s e n

1. Wie konnten Sie _____ _zu_ lassen, dass Ihr Sohn ohne Führerschein Auto fährt?

2. Hier zieht es, jemand hat die Tür _____gelassen.

3. Die Flüchtlinge mussten ihr Hab und Gut _____lassen.

4. Bei diesem Wort haben Sie einen Buchstaben _____gelassen.

5. Der Verhaftete musste wieder _____gelassen werden.

6. Der Schüler hat in seinen Leistungen merklich _____gelassen.

7. Der Angeklagte ließ nicht _____, seine Unschuld zu beteuern.

8. Können Sie die alte Frau bitte _____lassen?

9. Der Schmerz ließ langsam _____.

10. In dem kleinen Ort will sich kein Arzt _____lassen.

11. Er hat den Motor schon _____gelassen. Er will mit
    seinem Auto ins Büro fahren.

12. Auf dieses riskante Geschäft solltest du dich nicht _____lassen.

13. Diese Sache lässt sich gut _____.

14. Es ist zu windig; wir müssen die Fenster _____lassen.

TRENNBARE VORSILBEN

! 8 Der Knopf ist ab. Welches Verb fehlt?

In der Umgangssprache verwendet man manchmal nur die Vorsilbe und lässt das zugehörige Verb aus. Man sagt z.B. „Der Knopf ist ab" und nicht „Der Knopf ist abgerissen".

1. Warum ist das Radio nicht an?   an *gestellt*
2. Ist der Zug nach Nürnberg schon durch?   durch_____
3. Paul ist noch nicht auf.   auf_____
4. Sie hat trotz des Regens keinen Hut auf.   auf_____
5. Meine Schuhsohlen sind durch.   durch_____
6. Hast du die Zeitung noch nicht aus?   aus_____
7. Warum hast du keinen Mantel an?   an_____
8. Ende Oktober waren alle Blätter ab.   ab_____
9. Der Brief ist schon zu.   zu_____
10. Ist die Haustür zu?   zu_____
11. Der Henkel der Teekanne ist ab.   ab_____
12. So, der Knopf ist wieder an.   an_____
13. Habt ihr den Kuchen schon auf?   auf_____
14. Sind alle Kerzen an?   an_____

---

stellen • brechen • fahren • fallen • kleben • laufen • lesen • nähen • zünden • schließen • essen • setzen • stehen • ziehen

FESTE UND TRENNBARE VORSILBEN

> *Bei der festen Zusammensetzung ist das Verb betont (z.B. über**setzen**) und die Vorsilbe untrennbar. Ist die Vorsilbe betont (z.B. **über**setzen), ist sie trennbar.*

durch-

1. **durch**brechen — Die Leiter brach **durch**.
2. durch**brechen** — Die Sonne durch**brach** die Wolken.
1. **durch**dringen — Seine Stimme dringt überall **durch**.
2. durch**dringen** — Die Scheinwerfer durch**dringen** den Nebel.
1. **durch**fahren — Der Zug fährt hier **durch**.
2. durch**fahren** — Wir haben das ganze Gebiet durch**fahren**.

über-

1. **über**setzen — Wir setzen hier mit der Fähre **über**.
2. über**setzen** — Sie über**setzt** sehr sorgfältig.
1. **über**stehen — Ein Stück Holz steht **über**, das muss abgesägt werden.
2. über**stehen** — Ich habe meine Grippe schnell über**standen**.
1. **über**ziehen — Er zog den Mantel **über**.
2. über**ziehen** — Sie dürfen Ihr Konto nicht über**ziehen**.

um-

1. **um**bauen — Er baut das alte Haus **um**.
2. um**bauen** — Der Starnberger See ist jetzt völlig um**baut**.
1. **um**gehen — Dieses Gerücht geht schon lange **um**.
2. um**gehen** — Der Betrüger hat das Gesetz um**gangen**.
1. **um**stellen — Ich stelle heute die Möbel **um**.
2. um**stellen** — Die Polizei um**stellte** das Haus.

unter-

1. **unter**schieben — Man schob dem Kranken ein Kissen **unter**.
2. unter**schieben** — Unter**schieben** Sie mir keine schlechten Absichten!
1. **unter**stehen — Es regnet und ich stehe jetzt hier **unter**.
2. unter**stehen** — Was unter**stehen** Sie sich?
1. **unter**stellen — Er stellt sein Fahrrad im Keller **unter**.
2. unter**stellen** — Man hat ihm diese Absicht böswillig unter**stellt**.

DAS VERB

FESTE UND TRENNBARE VORSILBEN

❗1 Fest oder trennbar? Unterstreichen Sie, was betont wird.

überstehen

1. Alle Insassen haben den Autounfall ohne Verletzungen über<u>standen</u>.
2. Der Balken ist einen halben Meter übergestanden.

überziehen

1. Es ist kalt. Ich muss noch einen Pullover überziehen.
2. Der Himmel hat sich mit Wolken überzogen.

übersetzen

1. Sie kann sehr schnell vom Deutschen ins Englische übersetzen.
2. Der Fährmann hat die Wanderer um acht Uhr übergesetzt.

durchbrechen

1. Das Flugzeug hat die Schallmauer durchbrochen.
2. Der Stock ist durchgebrochen.

durchdringen

1. Die Nachricht ist bis zu uns durchgedrungen.
2. Sie war so durchdrungen von ihrer Überzeugung, dass niemand sie aufhalten konnte.

umgehen

1. Wir operieren nur, wenn es sich nicht umgehen lässt.
2. Sie ist nicht sorgfältig mit ihren Kleidern umgegangen.

umstellen

1. Die Patientin wird auf fettarme Kost umgestellt.
2. Der Feind konnte umstellt werden.

FESTE UND TRENNBARE VORSILBEN

unterstehen

  1. Wir haben zwei Stunden untergestanden. Es regnete so stark.

  2. Die Behörde untersteht dem Innenministerium.

unterstellen

  1. Wir haben uns bei dem Sturm in einer Hütte untergestellt.

  2. Der neue Mitarbeiter ist dem Chef direkt unterstellt.

❗2 g e h e n – fest oder trennbar?

  1. Die Firma ist in andere Hände ___*übergegangen*___. (über)

  2. Es ist ungerecht, dass Sie bei der Beförderung _____

     worden sind. (über)

  3. Die Frau ist von der eigenen Freundin _____ worden.
(hinter)

  4. Fürchterlich, wie du mit deinen Sachen _____ bist. (um)

  5. Es wird immer wieder versucht, diese Vorschrift zu _____.
(um)

  6. Bei dem Unwetter sind drei Schiffe _____. (unter)

fest: _____   **trennbar:** *1., ...* _____

❗3 l e g e n – fest oder trennbar?

  1. Wenn Sie das Gerät leihen wollen, müssen 50 € ___*hinterlegt*___
werden. (hinter)

  2. Er hat eine sehr gute Prüfung _____. (ab)

  3. Der Termin musste _____ werden. (um)

  4. Ich rate Ihnen, sich das noch einmal gut zu _____. (über)

fest: *1., ...* _____   **trennbar:** _____

DAS VERB

FESTE UND TRENNBARE VORSILBEN

!4 *s c h l a g e n* – fest oder trennbar?

1. Die Familie hat sich bisher nur mit Mühe ___*durchgeschlagen*___. (durch)

2. An dieser Stelle hat die Kugel die Wand _____. (durch)

3. Ich habe die Kosten nicht genau ausgerechnet, nur _____. (über)

4. Vor Aufregung hat sich ihre Stimme fast _____. (über)

5. Warum ist seine Stimmung plötzlich _____? (um)

6. Man weiß noch nicht, wie viel Geld _____ worden ist. (unter)

7. Es ist wirklich unerhört, mir eine so wichtige Nachricht zu _____! (unter)

8. Sie haben zwei Seiten auf einmal _____. (um)

fest: _____ trennbar: *1.,* ..._____

!5 *s e t z e n* – fest oder trennbar?

1. Du hast dich wieder nicht ___*durchgesetzt*___. (durch)

2. Die Gruppe war schon bald mit Spionen _____. (durch)

3. Die Firma hat im vergangenen Jahr für über hundert Millionen Waren _____. (um)

4. Wir sind bei Hameln _____. (über)

5. Es ist kaum möglich, diese Redewendung zu _____. (über)

6. Sie hat dem Blumentopf eine Schale _____. (unter)

fest: _____ trennbar: *1.,* ..._____

FESTE UND TRENNBARE VORSILBEN

❗6 *s t e l l e n* – fest oder trennbar?

1. Die Chefin hat ihm ein gutes Zeugnis _____*ausgestellt*_____. (aus)
2. Die Verhältnisse sind heute anders, wir haben uns _____. (um)
3. Es gelang den Soldaten, die Stadt zu _____. (um)
4. Wo haben Sie Ihr Auto _____? (unter)
5. Ich verbitte es mir, mir eine solche Absicht zu _____. (unter)
6. Der Beamte ist dem Minister unmittelbar _____. (unter)

fest: _____ trennbar: *1.,...* _____

❗7 *z i e h e n* – fest oder trennbar?

1. Der Verhaftete wurde einem Verhör _____*unterzogen*_____. (unter)
2. Die Truppen sind hier nur _____. (durch)
3. Seine Stirn war von vielen Falten _____. (durch)
4. Er hat versucht, Steuern zu _____. (hinter)
5. Ein Bankkonto kann _____ werden. (über)
6. Ganz plötzlich hat sich der Himmel mit Wolken _____. (über)
7. Es ist kalt, und du hast nicht einmal einen leichten Mantel _____. (über)
8. Bei dem Kochrezept müssen Sie am Schluss den Eischnee _____. (unter)

fest: *1.,...* _____ trennbar: _____

REDEWENDUNGEN

！1 Setzen Sie passende Farben ein.

1. Ich bin noch einmal *mit einem* ____blauen____ *Auge davongekommen.* (mit einem relativ kleinen Verlust oder Schaden)

2. Damit haben Sie *ins* _____ *getroffen.* (genau das Richtige)

3. Diese Frage darf nicht *am* _____ *Tisch* entschieden werden. (ohne Rücksicht auf die Praxis)

4. Widersprich lieber nicht! Der Mann *ist* ziemlich _____. (betrunken)

5. Erstes Gebot für einen Politiker: *eine* _____ *Weste.* (eine untadelige Vergangenheit)

6. Hoffentlich kommen wir bald *auf einen* _____ *Zweig.* (haben wir Erfolg)

7. Widerspruch wirkt auf ihn *wie ein* _____ *Tuch.* (aufreizend)

8. Sie dürfen nicht alles durch *eine* _____ *Brille* sehen. (für besser halten, als es ist)

> blau • grün • rosa • rot • schwarz • weiß

2 Was bedeutet das? Ordnen Sie zu.

1. eine Fahrt **ins Blaue** machen — kein Geld haben
2. etwas schwarz auf weiß haben — gewogen
3. grünes Licht für etwas haben — **ohne festes Ziel**
4. das schwarze Schaf sein — staunen
5. der rote Faden der Geschichte — schriftlich
6. sein blaues Wunder erleben — unartig sein
7. jemandem nicht grün sein — anfangen können
8. keinen roten Heller haben — innerer Zusammenhang

3 Der „Kopf" muss viel aushalten. Was bedeutet das?

1. **Ich zerbreche mir den Kopf.**   Ich muss es in Ruhe überlegen.
2. Den Kopf in den Sand   Musst du alle Leute beleidigen?
   stecken hilft nichts.
3. Ich weiß nicht, wo mir der   Ich war entsetzt.
   Kopf steht.
4. Schlag dir das aus dem Kopf!   **Ich denke angestrengt nach.**
5. Dir muss ich einmal tüchtig   Du bist eitel geworden.
   den Kopf waschen.
6. Da schlug ich die Hände über   Warum immer gewaltsam?
   dem Kopf zusammen.
7. Der Erfolg ist dir zu Kopf gestiegen.   Man muss der Gefahr ins Auge sehen.
8. Musst du denn alle Leute vor   Ich habe die Übersicht verloren.
   den Kopf stoßen?
9. Das muss ich mir noch einmal   Gib den Plan auf!
   durch den Kopf gehen lassen.
10. Warum denn immer mit dem   Ich muss dich zurechtweisen.
    Kopf durch die Wand?

! 4 Körperteile. Setzen Sie ein.

1. Ich will noch diesen Kohl*kopf*_____ mitnehmen.
2. Das Dörfchen liegt auf einer Land_____, die weit ins Meer
   hinausragt.
3. Der Tisch wackelt; ein _____ ist zu kurz.
4. Die Kugel_____ müssen geschmiert werden.
5. Der ganze Rasen ist wieder voller Löwen_____.
6. Bring doch bitte auch eine Knoblauch_____ mit!
7. Ein König ist meist nur noch dem Namen nach das Ober_____
   seines Landes.

REDEWENDUNGEN

8. Der Mann wurde bei einer Prügelei durch einen abgebrochenen
   Flaschen_____ schwer verletzt.

9. Straßen, Schienen und Wasserwege nennt man die Verkehrs_____
   des Landes.

10. Messer haben eine Schneide und einen _____.

---

der Kopf • die Ader • das Bein • das Gelenk • der Hals • das Haupt •
der Rücken • die Zehe • der Zahn • die Zunge

---

5 Kleidungsstücke. Was passt?

1. Das Geld reicht nicht; wir müssen den ___*Gürtel*___ enger schnallen.
   (uns einschränken)

2. Sagen Sie mir doch, wo Sie der _____ drückt. (welche
   Schwierigkeiten Sie haben)

3. Diesen brutalen Kerl können Sie nicht mit _____ anfassen. (sanft
   und vorsichtig behandeln)

4. Das ist doch kein Konkurrent für Sie. Den können Sie doch zehnmal in die
   _____ stecken. (Sie sind überlegen)

5. Es gehört sich nicht, in der Öffentlichkeit seine schmutzige _____
   zu waschen. (private Streitigkeiten öffentlich austragen)

6. Ich kann das Geld doch nicht aus dem _____ schütteln.
   (herbeizaubern)

7. Jetzt müssen wir uns aber auf die _____ machen. (aufbrechen)

8. Der Chef nahm den Fehler auf die eigene _____. (übernahm die
   Verantwortung)

9. Ich habe mir die _____ abgelaufen, aber ich konnte die Marke nicht mehr bekommen. (viel herumlaufen)

10. Georg fühlt sich auf den _____ getreten. (ist beleidigt)

---

der Gürtel • der Ärmel • die Wäsche • die Kappe • der Samthandschuh • der Schlips • der Schuh • die Socke • die Sohle • die Tasche

---

6 Aus welchem Bereich stammt die Redewendung? Kreuzen Sie an.

	Handwerk	Technik	Sport
1. alles über einen Leisten schlagen (keine Unterschiede berücksichtigen)	⊗	○	○
2. den Faden verlieren (vom Thema abschweifen)	○	○	○
3. am Ball bleiben (etwas weiterverfolgen)	○	○	○
4. alle Hebel in Bewegung setzen (alles versuchen, um sein Ziel zu erreichen)	○	○	○
5. über die Runden kommen (gerade genügend Geld zum Leben haben)	○	○	○
6. eine Hürde nehmen (Schwierigkeiten überwinden)	○	○	○

REDEWENDUNGEN

❗7 Wörtlich genommen. – Ein Ausflug in den Zoo.

A Was bedeuten die schräg gedruckten Wörter? Tragen Sie die passende Ziffer ein.

Ein Mann ging durch den *Blätterwald* (_5_) über die *Eselsbrücke* (___) in den Zoo, um den neuen *Salonlöwen* (___) anzuschauen. Im Gehege daneben zankten sich die *Streit-* (___) und *Neidhammel* (___), so dass der kleine *Angsthase* (___) sich ängstlich verkroch. Die *Lese-* (___), *Land-* (___) und *Wasserratten* (___) lebten friedlich miteinander. Auch der *Windhund* (___) und die *Schmusekatze* (___) hatten sich angefreundet. Auf einem Baum saß ein *Schmutzfink* (___); er hatte gerade einen *Bücherwurm* (___) gefangen und lachte die *Pechvögel* (___) aus. Der *Amtsschimmel* (___) sprang munter mit den *Steckenpferden* (___) herum. Nachdem der Mann sich noch das *Mondkalb* (___) angesehen hatte, ging er nach Hause und fütterte den *Kuckuck* (___), der auf dem Fernsehapparat saß.

(1) jemand, der sehr schnell Angst bekommt
(2) Person, die gern und gut schwimmt
(3) unzuverlässiger Mann
(4) jemand, der gern und leidenschaftlich liest
(5) Vielzahl von Zeitungen und Zeitschriften
(6) jemand, der oft und gerne streitet
(7) wer kein Seemann ist
(8) Person, die gern zärtlich ist
(9) Mensch, der viel Pech hat
(10) etwas oberflächliche Person, die gern auf Partys geht
(11) Hobby
(12) Pfandsiegel des Gerichtsvollziehers
(13) ein dummer Mensch
(14) Bürokratie
(15) Spruch oder Reim, mit dem man sich etwas besser merken kann
(16) jemand, der voller Neid ist
(17) jemand, der sehr unsauber ist
(18) jemand, der viel liest und Bücher liebt

B Welche Tiere gibt es wirklich?

_____

8 Sprichwörter

A Wie geht es weiter? Ergänzen Sie.

1. Gelegenheit ___*macht Diebe*___.

2. Eine blinde Henne _____.

3. Ende gut, _____.

4. Gleich und Gleich _____.

5. Wer ernten will, _____.

6. Voller Bauch _____.

---

macht Diebe • alles gut • gesellt sich gern • findet auch ein Korn •
studiert nicht gern • muss säen

! B Was passt zusammen? Kombinieren Sie.

---

schlafende Hunde • Hunde, die bellen, • Kinder und Narren • steter Tropfen •
wenn zwei sich streiten, • neue Besen • viele Köche • Lügen

---

soll man nicht wecken • höhlt den Stein • kehren gut • verderben den Brei •
sagen die Wahrheit • freut sich der Dritte • haben kurze Beine • beißen nicht

---

1. ___*Schlafende Hunde soll man nicht wecken*___.

2. _____.

3. _____.

4. _____.

5. _____.

6. _____.

7. _____.

8. _____.

REDEWENDUNGEN

9 Kreuzen Sie die richtige Bedeutung an.

1. einen Bock schießen
   - ⭕ großen Erfolg haben
   - ⭕ vorwärtskommen
   - ⊗ einen Fehler machen

2. Fersengeld geben
   - ⭕ mit Falschgeld bezahlen
   - ⭕ sich umdrehen
   - ⭕ flüchten

3. jemanden auf den Arm nehmen
   - ⭕ jemanden necken
   - ⭕ jemanden tragen
   - ⭕ jemandem helfen

4. Rosinen im Kopf haben
   - ⭕ dumm sein
   - ⭕ unrealistische große Pläne haben
   - ⭕ eingebildet sein

5. sich ins Zeug legen
   - ⭕ ins Bett gehen
   - ⭕ sich sehr anstrengen
   - ⭕ unterbrechen

6. Haare auf den Zähnen haben
   - ⭕ streitsüchtig und rechthaberisch sein
   - ⭕ hässlich aussehen
   - ⭕ krank sein

! 10 Was bedeutet das? Kreuzen Sie an.

1. in der Kreide sein

   ⊗ Schulden haben
   ◯ bleich sein
   ◯ zur Schule gehen

2. auf großem Fuß leben

   ◯ eine hohe Schuhgröße haben
   ◯ gefährlich leben
   ◯ viel Geld ausgeben

3. die Katze aus dem Sack lassen

   ◯ jemanden quälen
   ◯ eine Katze ertränken
   ◯ ein Geheimnis mitteilen

4. die Hand im Spiel haben

   ◯ an etwas beteiligt sein
   ◯ konkurrieren
   ◯ sich verbrennen

5. ein Haar in der Suppe finden

   ◯ angeekelt sein
   ◯ an einer Sache etwas
      auszusetzen haben
   ◯ sehr aufmerksam sein

6. kalte Füße bekommen

   ◯ frieren
   ◯ Angst bekommen
   ◯ lange stehen

IDIOMATIK

REDEWENDUNGEN

❗11 Es steht schlecht. Was bedeutet das?

1. **Er hat einen Korb bekommen.**

2. Wir müssen schon in den sauren Apfel beißen.

3. Er sitzt auf dem Trockenen.

4. Ihm steht das Wasser bis zum Hals.

5. Er hat sie links liegen lassen.

6. Bei dem Geschäft haben wir Federn gelassen.

Er hat viele Geldprobleme und Schwierigkeiten.

Er hat sie nicht beachtet.

Er hat eine Absage erhalten.

Wir haben Verluste gehabt.

Wir müssen etwas Unangenehmes auf uns nehmen.

Er hat kein Geld mehr.

❗12 Es steht gut. Notieren Sie die Bedeutung.

1. Endlich kommt sie auf einen grünen Zweig.

   Sie hat Erfolg.

2. Alles ist wieder im Lot.

   _____

3. Sie haben den Nagel auf den Kopf getroffen.

   _____

4. Ihm geht ein Licht auf.

   _____

5. Jetzt sitzen Sie fest im Sattel.

   _____

6. Im Augenblick ist unsere Partei am Ruder.

   _____

Sie hat Erfolg. • Sie haben das Wesentliche erkannt. • Es ist in Ordnung. •
Sie haben eine sichere Stellung. • Jetzt versteht er plötzlich. • Sie ist an der Macht.

❗13 Geben Sie acht!

1. Spitzen Sie die Ohren!

   Hören Sie gut zu!

2. Haben Sie den Braten immer noch nicht gerochen?

   _____

3. Lassen Sie doch die Kirche im Dorf!

   _____

4. Lassen Sie sich keinen Sand in die Augen streuen!

   _____

5. Bitte nichts übers Knie brechen!

   _____

6. Sie dürfen den Bogen nicht überspannen.

   _____

Hören Sie gut zu! • Übereilen Sie nichts! • Lassen Sie sich nicht täuschen! •
Verlangen Sie nicht zu viel! • Durchschauen Sie die Sache noch nicht? •
Seien Sie vernünftig!

---

14 Auch Schimpfen will gelernt sein.

1. Du bist feige.   _Du Waschlappen!_

2. Du willst bloß nicht arbeiten.   _____

3. Du redest zu viel über andere.   _____

4. Du bist hinterlistig.   _____

5. Du bist ein Angeber.   _____

6. Du bist gefräßig.   _____

Du Waschlappen! • Du Klatschmaul! • Du Vielfraß! • Du Schlange! •
Du Großmaul! • Du Drückeberger!

IDIOMATIK

STILEBENEN

1 Drücken Sie sich neutral aus.

1. gehoben: Er war aller Mittel entblößt.

   neutral: *Er hatte kein Geld*   .

   umgangssprachlich: Er saß völlig auf dem Trockenen.

   vulgär: Er war pleite.

2. gehoben: Das ist ein törichter Plan.

   neutral: _____.

   umgangssprachlich: Der Plan hat weder Hand noch Fuß.

   vulgär: Der Plan ist blöd.

3. gehoben: Prägen Sie sich das ein!

   neutral: _____!

   umgangssprachlich: Schreiben Sie sich das hinter die Ohren!

   vulgär: Hämmern Sie sich das in den Schädel!

4. gehoben: Sie entfernte sich schnell.

   neutral: _____.

   umgangssprachlich: Sie nahm die Beine in die Hand.

   vulgär: Sie haute ab wie der Blitz.

5. gehoben: Sie hat Geld entwendet.

   neutral: _____.

   umgangssprachlich: Sie hat lange Finger gemacht.

   vulgär: Sie hat geklaut.

6. gehoben: Warum haben Sie ihn zurechtgewiesen?

   neutral: _____?

   umgangssprachlich: Warum haben Sie ihm den Kopf gewaschen?

   vulgär: Warum haben Sie ihn heruntergeputzt?

❗2 Ergänzen Sie den neutralen Ausdruck.

gehoben	neutral	umgangssprachlich
1. armselig	_dürftig_	miserabel
2. makellos		tipptopp
3. störrisch		bockig
4. ermattet		erschossen
5. kühn		forsch
6. hurtig		fix
7. dünkelhaft		hochnäsig
8. gekränkt		eingeschnappt

dürftig • beleidigt • eigensinnig • eingebildet • fehlerlos • mutig • müde • schnell

❗3 Ordnen Sie passend zu.

	gehoben	neutral	umgangssprachlich
1.		_das Zimmer_	
2.			_die Visage_
3.	_das Haupt_		
4.			_der Krach_
5.	_das Ungemach_		
6.		_das Pferd_	

das Gemach • der Kopf • die Fehde • das Ungemach • das Gesicht • das Zimmer • das Antlitz • die Birne • der Streit • das Unglück • das Pferd • die Visage • der Krach • das Haupt • die Bude • das Ross • das Pech • der Gaul

STILEBENEN

4 Ergänzen Sie das neutrale Verb.

gehoben	neutral	umgangssprachlich
1. empfangen	_bekommen_	kriegen
2. einbüßen		loswerden
3. veräußern		versilbern
4. erfassen		kapieren
5. sich brüsten		prahlen
6. ahnden		heimzahlen
7. züchtigen		versohlen
8. speisen		futtern

bekommen • essen • rächen • verkaufen • verlieren • angeben • verprügeln • verstehen

5 Ordnen Sie passend zu.

	gehoben	neutral	umgangssprachlich
1.			_verpulvern_
2.		_leihen_	
3.	_peinigen_		
4.		_gehen_	
5.			_pennen_
6.	_entfallen_		

schlafen • schreiten • verpulvern • borgen • peinigen • latschen • piesacken • leihen • vergeuden • pennen • vergessen • verschwitzen • schlummern • verschwenden • pumpen • quälen • gehen • entfallen

6 Tante Anna spricht gern gehoben. Was sagt ihre Nichte?

Tante Anna sagt:	Ihre Nichte antwortet:
1. Willst du mit mir *speisen*?	Ja, ich __*esse*__ gern mit dir.
2. Hast du gehört, dass Frau Grün *verschieden* ist?	Nein, wann ist sie denn _____?
3. Eine Tasse Kaffee wird dich *erquicken*.	Ja, die wird mich wieder _____.
4. Ich muss einfach nach Tisch *der Ruhe pflegen*.	Natürlich musst du dich etwas _____.
5. Kann den niemand den Kindern den Lärm *untersagen*?	Man kann ihnen doch nicht alles _____.
6. Ich muss meine *Räume* renovieren lassen.	Ja, deine _____ haben es wirklich nötig.

essen • ausruhen • munter machen • sterben • verbieten • Zimmer

7 Peter gebraucht gern Ausdrücke der Umgangs- und Vulgärsprache.

Peter sagt:	Paul mag das nicht, er sagt:
1. *Schmeiß* doch die alten *Klamotten weg*!	__*Wirf*__ doch die alte __*Kleidung*__ __*weg!*__
2. Was ist das für ein *Mief* hier?	Was ist das für ein _____ hier?
3. Pass auf, dass man dir nicht dein Rad *klaut*!	Pass auf, dass man dir nicht dein Rad _____!
4. War der *Pauker* wieder nicht zufrieden?	War der _____ wieder nicht zufrieden?
5. Da hast du aber *Dusel* gehabt!	Da hast du aber _____ gehabt!

STILEBENEN

6. Der Film war **Mist.**   Der Film war _____.

7. Das ganze Geld ist **futsch!**   Das ganze Geld ist _____!

8. Warum bist du so **giftig** heute?   Warum bist du so _____ heute?

~~wegwerfen~~ • ~~Kleidung~~ • boshaft • Geruch • Glück • Lehrer • schlecht • stehlen • weg

8 Setzen Sie die umgangssprachlichen Ausdrücke in die neutrale Form.

1. *Meckere /* _Kritisiere_ nicht so viel!

2. Warst du nicht *platt /* _____, als du das gehört hast?

3. Hat dein Plan *geklappt?* / Ist dein Plan _____?

4. Ist dir etwas *schief gegangen /* _____?

5. Lass dich nicht *einseifen /* _____!

6. Hast du das *kapiert /* _____?

7. Hast du genug *Moneten /* _____, um dir ein Auto zu kaufen?

8. Jetzt *hau* aber endlich *ab!* / _____!

~~kritisieren~~ • betrügen • erstaunt • weglaufen • Geld • gelingen • misslingen • verstehen

9 Der gehobene Stil passt hier nicht. Verbessern Sie.

1. *Mundet /* _Schmeckt_ Ihnen das Essen in der Mensa?

2. Die Reisenden *begaben sich /* _____ zum Bus.

3. Wir *weilten /* _____ vier Wochen in Skandinavien.

4. Der Vortrag *währte /* _____ schrecklich lange.

5. Die Arbeiter *heischen nach /* _____ Mitbestimmung.

6. Das Orchester *hob an /* _____ zu spielen.

~~schmecken~~ • dauern • gehen • sein • verlangen • beginnen

Das Adjektiv
Gegensätze

1 2. hart, 3. fettes, 4. fade, 5. kaltes, 6. langen, 7. schnell, 8. sonnigen,
9. nachsichtig, 10. überflüssig, 11. geschlossen, 12. bekannt

2 2. preiswert, 3. schief, 4. absichtlich, 5. ernsten, 6. grober, 7. bequem, 8. frisch,
9. selten, 10. schlicht, 11. sicher, 12. schwierige

3 2. geheim, 3. gemeinsam, 4. gleichen, 5. gewiss, 6. nah, 7. hungrig, 8. runden,
9. häufig, 10. nüchtern, 11. schriftlich, 12. nützlich

4 2. gesprächig, 3. eng, 4. verkehrt, 5. breite, 6. fleckig, 7. zeitweilige, 8. eilig,
9. gerade, 10. matt, 11. mündig, 12. frische

5 A 2. spitz – scharfes, 3. fleißig – frisch, 4. bittere – sauer, 5. eigener – bekannt,
6. weit – breiten, 7. verschleierte – bewachsen, 8. kümmerliche – arm,
9. abhängig – besetzt, 10. richtige – echt, 11. schlank – dünne,
12. gewandt – gelenkig

5 B 2. locker, 3. brüchig, 4. schwankend, 5. leicht

5 C 2. rau, 3. stoppelig, 4. runzelig, 5. lockig

5 D 2. dünn, 3. flach, 4. seicht, 5. oberflächlich

5 E 2. eng, 3. nah, 4. begrenzt, 5. schmal

5 F 2. heiser, 3. verschwommen, 4. mehrdeutig, 5. unleserlich

5 G 2. artig, 3. gepflegt, 4. planmäßig, 5. kultiviert

5 H 2. schwierig, 3. ernst, 4. dichte, 5. schwerfälligen

5 I 2. schärferes, 3. deutlich, 4. hell, 5. laute

5 J 2. sauer, 3. trocken, 4. verdorben, 5. welk, 6. schal, 7. schwüle, 8. matt, 9. dürre,
10. schmutzigen

6 2. genaue, 3. konkrete, 4. gewandter, 5. freundliche, 6. entschlossene,
7. zugänglicher, 8. besonnenes, 9. erwartetes, 10. gedrückte

7 2. schmales, 3. hohe, 4. anliegende, 5. blasses, 6. lockige, 7. starkes, 8. gesunde, 9. klar, 10. gerade, 11. zurückhaltend, 12. gepflegt

8 2. sprunghaft, 3. unbedacht, 4. planlos, 5. schlampig, 6. weitschweifig, verworren, 7. verkrampft, zudringlich, launisch

Das Adjektiv
Gegensätzliche Bewertung

1 A 2. reaktionär, 3. autoritär, 4. eingebildet, 5. rücksichtslos

1 B 2. zudringlich, 3. sentimental, 4. taktlos, 5. schwach

1 C 2. schlau, 3. geschwätzig, 4. streberisch, 5. feige

2 A 2. erwerbstüchtig, 3. praktisch, 4. ordnungsliebend, 5. standhaft

2 B 2. empfindsam, 3. kritisch, 4. beredt, 5. selbstbewusst

2 C 2. liebenswürdig, 3. großzügig, 4. idealistisch, 5. temperamentvoll

3 2. mundfaul, 3. menschenscheu, 4. alberne, 5. geschwätzig, 6. überspannt, 7. unterwürfig, 8. vertrauensselig

4 2. leidenschaftliche, 3. lebenslustig, 4. stolz, 5. anhänglich, 6. bescheiden, 7. stiller, 8. gütig

5 2. rückgratlose, 3. apathische, 4. pathetische, 5. träge, 6. verletzende, 7. taktlose, 8. tollkühnes, 9. herrische, 10. primitives, 11. pedantische, 12. raffiniertes

Das Adjektiv
Synonyme

1 2. unbeschädigt, 3. repariert, 4. nur, 5. ziemlich, 6. gesamte, 7. tüchtiger, 8. vollständig, 9. vollkommen, 10. uneingeschränkt, 11. volle, 12. ungeteilt

2 2. volle, 3. ausnahmslos, 4. vollkommen, 5. vollzählig, 6. Sämtliche, 7. gesamte, 8. rundweg, 9. einheitlichen, 10. vollständige, 11. völlig, 12. vollendete

3 2. vernünftige, 3. geistreiches, 4. listigen, 5. intelligent, 6. scharfsinnige, 7. gelehrig, 8. helles, 9. schlau, 10. altklug, 11. weise, 12. aufgeweckten

4 2. dämlich, 3. einfältig, 4. unklug, 5. törichten, 6. dümmlichen, 7. idiotischen, 8. beschränkter

5 2. sehr begabt, 3. sonderbare, 4. gekünstelt, 5. unanständig, 6. empfindsam, 7. ordentliche, 8. zwanglos, 9. durchtriebener, 10. lustiger, 11. gerechte, 12. anmutig

6 2. ängstlich, 3. knapp, 4. breit, 5. schräg, 6. üblich, 7. heiß, 8. krank, 9. strengen, 10. flache, 11. reichlich, 12. dicken

7 2. verblüfft, 3. eisig, 4. verzweifelt, 5. unerträglich, 6. radikal, 7. zerfahren, 8. entsetzt, 9. verstockt, 10. ewig, 11. finster, 12. tückisch

8 2. elend, 3. unergründlich, 4. jäh, 5. abstoßend, 6. qualvoll, 7. glühend, 8. kühn, 9. überwältigend, 10. erschöpft

Das Adjektiv
Wortfamilien

1 A 2. fragwürdig, 3. fraglich

1 B 1. besorgt, 2. sorgfältig, 3. sorgenvoll

1 C 1. recht, 2. gerechtes, 3. richtig

1 D 1. reizend, 2. reizbar, 3. gereizten

1 E 1. rührend, 2. rührig, 3. gerührt

1 F 1. bissiger, 2. verbissene, 3. beißender

1 G 1. allgemein, 2. gemein, 3. gemeinsam

1 H 1. genügsam, 2. genügend, 3. genug

2 A 2. irrige, 3. irrsinnig

2 B 1. gierig, 2. begehrt, 3. begierig

2 C 1. redlich, 2. beredt, 3. redselig

2 D 1. entrüstet, 2. gerüstet, 3. rüstig

2 E 1. stillschweigend, 2. schweigsam, 3. verschwiegen

2 F 1. vordringlich, 2. eindringliche, 3. aufdringlich

2 G 1. vertrauliche, 2. vertraut, 3. vertrauensvoll

2 H 1. verbindlichen, 2. bündig, 3. verbindliche

3 A 2. ungehörig

3 B 1. unausstehlich, 2. unwiderstehlich

3 C 1. unumwunden, 2. unverwandt

3 D 1. unersättlicher, 2. ungesättigte

3 E 1. ungebunden, 2. unbändig

3 F 1. unaufhaltsam, 2. ungehalten

3 G 1. unbeschriebenes, 2. unbeschreiblich

3 H 1. ungebetenen, 2. unerbittlich

Das Adjektiv
Endsilben

-lich und *-bar*

1 A 2. absichtlich

1 B 1. erhältlich, 2. haltbar

1 C 1. greifbar, 2. begreiflicher

1 D 1. Wunderbar, 2. wunderlich

1 E 1. gebräuchlich, 2. brauchbar

1 F 1. löslich, 2. lösbar

1 G 1. denkbar, 2. bedenklich

1 H 1. sonderlich, 2. sonderbar

2 2. formbar, 3. bildlich, 4. beachtlich, 5. lesbar, 6. bewohnbar, 7. fahrbar, 8. sichtbar

-lich und *-ig*

1 A 2. geschäftig

1 B 1. tüchtiges, 2. tauglich

1 C 1. schließlich, 2. schlüssigen

1 D 1. zeitlich, 2. zeitig

1 E 1. anhänglich, 2. abhängig

1 F 1. willentlich, 2. willig

1 G 1. tätig, 2. tätlich

1 H 1. farblich, 2. farbig

2 2. beschwerlich, 3. rechtliche, 4. gängige, 5. einträchtig, 6. verbindliche, 7. verständig, 8. einmonatige

-lich und *-sam*

1 A 2. grausam

1 B 1. sparsam, 2. spärlichen

1 C 1. betriebliche, 2. betriebsam

1 D 1. längliches, 2. langsam

1 E 1. wirksam, 2. wirklich

1 F 1. empfindlich, 2. empfindsam

1 G 1. fürchterlich, 2. furchtsam

1 H 1. beachtliche, 2. achtsam

-ig, *-lich* und *-haft*

1 A 2. neblig

1 B 1. standhaft, 2. ständig

1 C 1. schreckhaft, 2. schrecklichen

1 D 1. schmerzhaft, 2. schmerzliche

1 E 1. lebendig, 2. lebhaften

1 F 1. herzhaften, 2. Herzlichen

1 G 1. krankhaft, 2. kränklich

1 H 1. schadhaften, 2. schädlich

-lich und **-isch**

1 A   2. kindische

1 B   1. Bäuerliche, 2. bäurisch

1 C   1. herrische, 2. herrliche

1 D   1. ...parteilichen, 2. parteiisch

1 E   1. abgöttisch, 2. göttlichen

1 F   1. angeblich, 2. angeberisch

1 G   1. künstliches, 2. künstlerischen

1 H   1. heimlich, 2. heimisch

Das Nomen
Gegensätze

1 A   2. Hass, 3. Leid, 4. Abneigung, 5. Gleichgültigkeit, 6. Verlassenheit, 7. Traurigkeit, 8. Langeweile

1 B   2. Tadel, 3. Rücksichtslosigkeit, 4. Grobheit, 5. Missachtung, 6. Widerspruch, 7. Schaden, 8. Verlust

1 C   2. Intoleranz, 3. Stillstand, 4. Krieg, 5. Willkür, 6. Gefahr, 7. Zerstörung, 8. Chaos

Das Nomen
Übergeordnete Begriffe

1   2. Messgeräte, 3. Schmuck, 4. Tiere, 5. Pflanzen, 6. Obst, 7. Besteck, 8. Handwerker, 9. Juristen, 10. Naturwissenschaftler, 11. Künstler, 12. Maße

2   2. Geldstück, 3. Gebäude, 4. Fahrzeug, 5. Werkzeug, 6. Kleidungsstück,

7. Schriftstück, 8. Getränk, 9. Genussmittel, 10. Gemüse, 11. Beruhigungsmittel, 12. Schreibzeug

Das Nomen
Zuordnungen

1   2. Geschicklichkeit, 3. Treue, 4. Gewissenhaftigkeit, 5. Wachsamkeit, 6. Ausdauer, 7. Ehrlichkeit, 8. Wissbegierde

2   2. Patienten, 3. Mieter, 4. Gäste, 5. Mitglieder, 6. Teilnehmer, 7. Abonnenten, 8. Fahrgäste, 9. Bewohner, 10. Einwohner

3   2. Kameraden, 3. Kollegen, 4. Komplizen, 5. Kumpel, 6. Partner

4   2. Lohn, 3. Miete, 4. Trinkgeld, 5. Pension, 6. Rente, 7. Taschengeld, 8. Honorar, 9. Gage, 10. Sold, 11. Heuer, 12. Steuer

5   2. frisch, 3. bequem, 4. pünktlich, 5. elegant, 6. spannend, 7. süß, 8. genau, 9. scharf, 10. wirkungsvoll, 11. spitz, 12. leserlich

Das Nomen
Synonyme

1   2. Bedeutung, 3. Vorteil, 4. Aufmerksamkeit, 5. Augenmerk, 6. Beachtung, 7. Anteil, 8. Gefallen

2   2. Ahnung, 3. Einfall, 4. Vorschlag, 5. Absicht, 6. Vorstellung, 7. Pläne, 8. Grundgedanke

3   2. Menschen, 3. Menschen, 4. Leute, 5. Leute, 6. Leute, 7. Menschen…, 8. Menschen…

4   2. Dingen, 3. zur Sache, 4. Ding, 5. die Sache, 6. deine Sachen, 7. Dinge, 8. Sachen

5 2. Schluss, 3. Ende, 4. Ende, 5. Schluss, 6. Ende, 7. Ende, 8. Schluss…

6 2. Instrumente, 3. …maschinen, 4. …apparat, 5. …geräte, 6. Instrumente, 7. Maschinen, 8. …apparat, 9. …maschine, 10. …gerät

7 2. Vergütung, 3. leere Worte, 4. Haushaltsplan, 5. Bequemlichkeit, 6. geschäftlicher Zusammenbruch, 7. höhere Schule, 8. Erzählung

Das Nomen
Wortfamilien

1 A 2. Aussichten, 3. Aussehen

1 B 1. …graben, 2. …grube, 3. Grab

1 C 1. Fliege, 2. Flug, 3. Flügel

1 D 1. Gepflogenheiten, 2. Pflege, 3. Pflicht

1 E 1. …fähre, 2. Fahrt, 3. Fährte

1 F 1. Fassung, 2. Fass, 3. Gefäß

1 G 1. Erziehung, 2. Ziehung, 3. Beziehungen

1 H 1. Ladung, 2. Belastung, 3. Last

2 A 2. Bewusstsein, 3. Wissen

2 B 1. Neuheit, 2. Erneuerung, 3. Neuigkeit

2 C 1. Stadt, 2. Staat, 3. …stätte

2 D 1. Gesuch, 2. Suche, 3. Sucht

2 E 1. Scheu, 2. Scheusal, 3. Abscheu

2 F 1. Deck, 2. Decke, 3. Dächer

Das Nomen
Vorsilben

Die Vorsilbe **Un-**

1   2. Unzahl, 3. Unsumme, 4. Unfug, 5. Unwetter, 6. Unfall, 7. Unart, 8. Unmensch, 9. Unkraut, 10. Unkosten, 11. Ungeziefer, 12. Untat

2   2. Unding, 3. Unrast, 4. Unfrieden, 5. Unrat, 6. Unwesen

Die Vorsilben **Wieder-** und **Wider-**

1   2. Wieder…, 3. Wider…, 4. Wieder…, 5. Wider…, 6. Wieder…, 7. Wider…, 8. Wider…

Das Nomen
Einsilbige Nomen

1   2. Maß, 3. Grund, 4. Dach, 5. Geld, 6. Zug, 7. Frost, 8. Flucht, 9. Flug, 10. Sicht, 11. Zwang, 12. Schuss

2   2. binden, 3. fließen, 4. schließen, 5. binden, 6. binden, 7. schließen, 8. fahren, 9. binden, 10. fahren

3   2. Jagd, 3. Schwund, 4. Macht, 5. Zeug, 6. Wind, 7. Leib, 8. Dienst…, 9. Steg, 10. Haft, 11. Kunst, 12. Schlacht…

Das Nomen
Homonyme

1   2. Die … der, 3. Der … die, 4. Das, 5. Der, 6. Die … der, 7. das, 8. Der, 9. Der, 10. Die, 11. die, 12. der

Das Nomen
Zusammensetzungen

1   2. die Spielkarte – das Kartenspiel, 3. der Hauswirt – das Wirtshaus,
4. der Ringfinger – der Fingerring, 5. die Gebietsgrenze – das Grenzgebiet,
6. die Geldtasche – das Taschengeld, 7. das Kernobst – der Obstkern,
8. der Blumentopf – die Topfblume

2   2. Wagemut, 3. Anmut, 4. Wehmut, 5. Schwermut, 6. Übermut, 7. Hochmut,
8. Sanftmut, 9. Freimut, 10. Großmut

3   2. Zukunftsmusik, 3. Stubenhocker, 4. Kerbholz, 5. Lampenfieber, 6. Extrawurst,
7. Hungertuch, 8. Glückspilz, 9. Blätterwald, 10. Kartenhaus

Das Verb
Gegensätze

1   2. tadelt, 3. nützt, 4. verboten, 5. hassen, 6. belügen, 7. behalten, 8. versetzt

2   2. unterdrückt, 3. bekämpft, 4. beargwöhnen, 5. steigt, 6. senken, 7. schließen,
8. gescheitert

3   2. legt sich, 3. kühlt sich ab, 4. verschlechtert sich, 5. verzieht sich, 6. lässt nach,
7. klart auf, 8. löst sich auf

4   2. abbrechen, 3. verweigern, 4. abschlagen, 5. aufgeben, 6. zurückziehen,
7. ablehnen, 8. versäumen

5   2. treffen, 3. anrichten, 4. ausschlagen, 5. verweigern, 6. lösen, 7. überwinden,
8. zerstreuen

6   2. verwickeln, 3. erliegen, 4. fassen, 5. verzichten, 6. entziehen, 7. entgehen,
8. wahren

7   2. durchgefallen, 3. senkte, 4. ausgeben, 5. abhärten, 6. zustimmen, 7. erweitert,
8. unterlegen

Das Verb
Synonyme

1 A 2. gestand, 3. leugnete, 4. verweigerte, 5. beteuerte, 6. wiederholte, 7. bezeugte, 8. stimmte zu, 9. widersprach, 10. gab … zu, 11. äußerte, 12. verneinte

1 B 2. bat, 3. verlangte, 4. dementierte, 5. bestätigte, 6. weigerte sich, 7. empfahl, 8. riet … ab, 9. ermahnte, 10. bot … an, 11. lehnte … ab, 12. erläuterte

2 2. erklären, 3. besprechen, 4. erwähnt, 5. formulieren, 6. berichteten, 7. aussprechen, 8. erörtern, 9. mitteilen, 10. genannt, 11. vorgetragen, 12. geredet

3 2. schimpfte, 3. anfuhr, 4. tuschelte, 5. klatschten, 6. plaudern, 7. nörgeln, 8. unterhielten, 9. brummte, 10. rief

4 2. schwindelt, 3. lallen, 4. plapperte, 5. flunkerst, 6. Murmle, 7. radebrechen, 8. brüllte, 9. schrie, 10. stammeln, 11. gelästert, 12. kreischte

5 2. sprechen, 3. sprechen, 4. sagen, 5. sagen, 6. sprechen, 7. sprechen, 8. sagen, 9. spricht, 10. sprechen, 11. sprach, 12. sagen

6 2. taumelte, 3. sputen, 4. schwebte, 5. schob, 6. Trödle, 7. sprangen, 8. trampeln, 9. bummeln, 10. gehuscht

7 2. geht, 3. läuft, 4. geht, 5. laufen, 6. geht, 7. läuft, 8. geht, 9. laufen … geht, 10. geht, 11. läuft, 12. laufen

8 2. getan, 3. macht, 4. getan, 5. macht, 6. Machen, 7. tun, 8. getan, 9. mache, 10. Tu, 11. gemacht, 12. tut

9 2. prallten, 3. bebten, 4. keuchten, 5. packte, 6. zerrte, 7. schleuderte, 8. strömte, 9. schallte, 10. rannten

10 2. tröpfelte, 3. schlich, 4. hüstelst, 5. überflog, 6. geschwindelt, 7. nieselt, 8. necken, 9. nippte, 10. zupfte

Das Verb
Nominale Fügungen

1   2. führen, 3. gehen, 4. liegen, 5. nehmen, 6. stehen, 7. treten, 8. üben,
9. vertreten, 10. ziehen

2   2. bringen, 3. fasst, 4. halten, 5. kommen, 6. leisten, 7. schließen, 8. spielt,
9. stellt, 10. treffen

3   2. gekommen, 3. kommen, 4. Bringen, 5. bringen, 6. kommt, 7. bringt, 8. kommt,
9. bringen, 10. kommt

4   2. kommen, 3. bringen, 4. bringen, 5. kommt, 6. kommt, 7. bringen,
8. bringen, 9. kommt, 10. gekommen

5   2. geriet, 3. versetzt, 4. geraten, 5. geraten, 6. versetzt, 7. versetzt, 8. geraten,
9. Versetzen, 10. geraten

6   2. gesetzt, 3. steht, 4. stellen, 5. gesetzt, 6. setzt, 7. stehen, 8. stellen, 9. stellen,
10. steht, 11. setzen, 12. steht

7   2. Treiben, 3. treiben, 4. Treibt, 5. führt, 6. führen, 7. führten, 8. treibt, 9. führt,
10. treiben

8   2. treffen, 3. fassen, 4. getroffen, 5. treffen, 6. Fassen, 7. gefasst, 8. getroffen

9   2. erbracht, 3. anstellen, 4. getroffen, 5. ausgeübt, 6. gebracht, 7. unterzogen,
8. gezogen

10   2. erhoben, 3. liegt ... vor, 4. gesetzt, 5. angestellt, 6. aufgenommen

11 A 1. melden, ergreifen; 2. erteilen, kommen; 3. hat, entzogen; 4. fallen,
umzudrehen

11 B 1. kleiden; 2. geben, halten, brechen; 3. genommen, steht, mache; 4. verlieren

12   finden, meldete, erteilt, ergreifen, bin, fand, gefasst, gestellt, vertrat, gegeben,
geriet, verfügen, besitze, übernehmen, ausführen

Das Verb
Feste Vorsilben

Die Vorsilbe *be-*

1 2. Können Sie die Theaterkarten besorgen? 3. ..., wenn Sie meinen Rat nicht befolgen wollen. 4. Sie beliefert Kunden im Ausland. 5. Bezweifeln Sie meine Worte? 6. Du darfst sie nicht bedrohen. 7. Sie beklagte ihre Einsamkeit. 8. Wie beurteilen Sie das? 9. Wir bewohnen dieses Haus. 10. Sie bejubelten den Sieg. 11. Können Sie mich beraten? 12. Sie bestaunten die Kunststücke.

2 B 1. bedienen, 2. dient

2 C 1. begraben, 2. gegraben

2 D 1. greift, 2. begriffen

2 E 1. beheben, 2. hebt

2 F 1. rührt, 2. berühren

2 G 1. beschlossen, 2. geschlossen

2 H 1. steht, 2. Bestehen

2 I 1. stellen, 2. bestellen

2 J 1. stimmt, 2. bestimmt

2 K 1. bestreiten, 2. streiten

3 2. begabt, 3. beschattet, 4. befleckt, 5. beziffert, 6. beflügelt, 7. bewölkt, 8. benotet

4 2. begünstigt, 3. begnadigt, 4. beteiligen, 5. beleidigt, 6. bescheinigen, 7. beseitigen, 8. berechtigt

5 2. berichtigen, 3. befreien, 4. beschönigen, 5. befestigt, 6. besänftigen, 7. befremdet, 8. bestärken, 9. begleichen, 10. beschleunigt

Die Vorsilbe **ver-**

1   2. …brennt, 3. …gehen, 4. …fault, 5. …glüht, 6. …fallen, 7. …dunstet,
8. …klingt, 9. …rostet, 10. …blühen, 11. …schimmelt, 12. …hungern, …dursten

2   2. …rät, 3. …stimmt, 4. …führen, 5. …gossen, 6. …bummelt, 7. …säumen,
8. …dreht, 9. …salzene, 10. …legt

3   2. …hören, 3. …lesen, 4. …schlucken, 5. …laufen, 6. …sehen, 7. …schreiben,
8. …rechnen, 9. …zählen, 10. …tun

4   2. …teuert, 3. …bessert, 4. …schärfen, 5. …stärkt, 6. …kürzt, 7. …billigt,
8. …wirren, 9. …schönern, 10. …öffentlicht

Die Vorsilbe **er-**

1   2. erarbeitet, 3. erkämpft, 4. erspart, 5. erraten, 6. erfragt

2   2. …stechen, 3. …würgt, 4. …tränken, 5. …drückt, 6. …schlagen

Die Vorsilbe **zer-**

1   2. …trittst, 3. …streut, 4. …rinnt, 5. …kochen, 6. …reißt, 7. …brochen, 8. …fällt

Die Vorsilbe **ent-**

1   2. …korkt, 3. …waffnet, 4. …thront, 5. …giftet, 6. …machtet, 7. …grätet,
8. …rahmt

Die Vorsilben **be-**, **er-**, **ver-**, **ent-** und **zer-**

1   1. fahren, erfahren, verfahren; 2. gehalten, verhalten, behalten, erhalten;
3. beraten, verrätst, Erraten, raten; 4. verlassen, lassen, belassen, erlassen;
5. befasst, erfasst, fasste, verfassen; 6. gebaut, erbaut, bebaut, verbaut;
7. folgen, befolgen, Verfolgen, erfolgt; 8. verlebt, erlebt, leben, belebt

2   2. ent…, 3. be…, 4. er…, 5. be…, 6. ver…

3 2. ver…, 3. ver…, 4. er…, 5. be…, 6. zer…

4 2. zer…, 3. be…, 4. ver…, 5. be…, 6. er…

5 2. er…, 3. be…, 4. ver…, 5. ent…, 6. be…, 7. ver…, 8. ent…, 9. be…, 10. zer…

6 2. ver…, 3. ent…, 4. be…, 5. ent…, 6. ver…

Das Verb
Trennbare Vorsilben

1 2. vor, 3. zu, 4. ein…, 5. nach, 6. ein, 7. aus…, 8. zurück…, 9. vor, 10. nach, 11. zu, 12. an, 13. ab…, 14. auf

2 2. ab, 3. aus…, 4. auf…, 5. zurück…, 6. an…, 7. zu…, 8. an, 9. ab, 10. vor, 11. ab…, 12. zurück, 13. an, 14. zu…

3 2. nach…, 3. ab…, 4. aus…, 5. auf, 6. an…, 7. ein, 8. vor…, 9. zurück, 10. ein…

4 2. zu…, 3. vor, 4. aus…, 5. ab…, 6. ein, 7. aus, 8. zurück…, 9. ab, 10. aus…

5 2. zu…, 3. ab, 4. zurück…, 5. ein, 6. ab…, 7. aus…, 8. an…, 9. aus, 10. ein…, 11. vor…, 12. auf…

6 2. an…, 3. ab…, 4. an…, 5. aus…, 6. ein…, 7. ab, 8. an…, 9. zurück, 10. vor…, 11. auf, 12. ein…, 13. zu…, 14. ein…

7 2. auf…, 3. zurück…, 4. aus…, 5. frei…, 6. nach…, 7. ab, 8. vor…, 9. nach, 10. nieder…, 11. an…, 12. ein…, 13. an, 14. zu…

8 2. …gefahren, 3. …gestanden, 4. …gesetzt, 5. …gelaufen, 6. …gelesen, 7. …gezogen, 8. …gefallen, 9. …geklebt, 10. …geschlossen, 11. …gebrochen, 12. …genäht, 13. …gegessen, 14. …gezündet

Das Verb
Feste und trennbare Vorsilben

1 **überstehen:** 2. über…; **überziehen:** 1. über…, 2. …zogen; **übersetzen:** 1. …setzen, 2. über…; **durchbrechen:** 1. …brochen, 2. durch…; **durchdringen:** 1. durch…, 2. …drungen; **umgehen:** 1. …gehen, 2. um…; **umstellen:** 1. um…, 2. …stellt; **unterstehen:** 1. unter…, 2. …steht; **unterstellen:** 1. unter…, 2. …stellt

2 2. übergangen, 3. hintergangen, 4. umgegangen, 5. umgehen, 6. untergegangen
fest: 2, 3, 5   *trennbar: 4, 6*

3 2. abgelegt, 3. umgelegt, 4. überlegen
fest: 4   *trennbar: 2, 3*

4 2. durchschlagen, 3. überschlagen, 4. überschlagen, 5. umgeschlagen, 6. unterschlagen, 7. unterschlagen, 8. umgeschlagen
fest: 2, 3, 4, 6, 7   *trennbar: 5, 8*

5 2. durchsetzt, 3. umgesetzt, 4. übergesetzt, 5. übersetzen, 6. untergesetzt
fest: 2, 5   *trennbar: 3, 4, 6*

6 2. umgestellt, 3. umstellen, 4. untergestellt, 5. unterstellen, 6. unterstellt
fest: 3, 5, 6   *trennbar: 2, 4*

7 2. durchgezogen, 3. durchzogen, 4. hinterziehen, 5. überzogen, 6. überzogen, 7. übergezogen, 8. unterziehen
fest: 3, 4, 5, 6   *trennbar: 2, 7, 8*

Idiomatik
Redewendungen

1 2. Schwarze, 3. grünen, 4. blau, 5. weiße, 6. grünen, 7. rotes, 8. rosa

2 2. schriftlich, 3. anfangen können, 4. unartig sein, 5. innerer Zusammenhang, 6. staunen, 7. gewogen, 8. kein Geld haben

3 2. Man muss der Gefahr ins Auge sehen. 3. Ich habe die Übersicht verloren. 4. Gib den Plan auf! 5. Ich muss dich zurechtweisen. 6. Ich war entsetzt. 7. Du bist eitel geworden. 8. Musst du alle Leute beleidigen? 9. Ich muss es in Ruhe überlegen. 10. Warum immer gewaltsam?

4 2. ...zunge, 3. Bein, 4. ...gelenke, 5. ...zahn, 6. ...zehe, 7. ...haupt, 8. ...hals, 9. ...adern, 10. Rücken

5 2. Schuh, 3. Samthandschuhen, 4. Tasche, 5. Wäsche, 6. Ärmel, 7. Socken, 8. Kappe, 9. Sohlen, 10. Schlips

6 2. Handwerk, 3. Sport, 4. Technik, 5. Technik, 6. Sport

7 A 15 – 10 – 6 – 16 – 1 – 4 – 7 – 2 – 3 – 8 – 17 – 18 – 9 – 14 – 11 – 13 – 12

7 B Windhund, Kuckuck

8 A 2. ... findet auch ein Korn. 3. ..., alles gut. 4. ... gesellt sich gern. 5. ..., muss säen. 6. ... studiert nicht gern.

8 B 2. Hunde, die bellen, beißen nicht. 3. Kinder und Narren sagen die Wahrheit. 4. Steter Tropfen höhlt den Stein. 5. Wenn zwei sich streiten, freut sich der Dritte. 6. Neue Besen kehren gut. 7. Viele Köche verderben den Brei. 8. Lügen haben kurze Beine.

9 2. flüchten, 3. jemanden necken, 4. unrealistische große Pläne haben, 5. sich sehr anstrengen, 6. streitsüchtig und rechthaberisch sein

10 2. viel Geld ausgeben, 3. ein Geheimnis mitteilen, 4. an etwas beteiligt sein, 5. an einer Sache etwas auszusetzen haben, 6. Angst bekommen

11 2. Wir müssen etwas Unangenehmes auf uns nehmen. 3. Er hat kein Geld mehr. 4. Er hat viele Geldprobleme und Schwierigkeiten. 5. Er hat sie nicht beachtet. 6. Wir haben Verluste gehabt.

12 2. Es ist in Ordnung. 3. Sie haben das Wesentliche erkannt. 4. Jetzt versteht er plötzlich. 5. Sie haben eine sichere Stellung. 6. Sie ist an der Macht.

13 2. Durchschauen Sie die Sache noch nicht? 3. Seien Sie vernünftig! 4. Lassen Sie sich nicht täuschen! 5. Übereilen Sie nichts! 6. Verlangen Sie nicht zu viel!

14 2. Du Drückeberger! 3. Du Klatschmaul! 4. Du Schlange! 5. Du Großmaul! 6. Du Vielfraß!

Idiomatik
Stilebenen

1 2. Der Plan ist nicht gut. 3. Merken Sie sich das! 4. Sie ging schnell weg. 5. Sie hat gestohlen. 6. Warum haben Sie ihn getadelt?

2 2. fehlerlos, 3. eigensinnig, 4. müde, 5. mutig, 6. schnell, 7. eingebildet, 8. beleidigt

3 1. das Gemach, …, die Bude; 2. das Antlitz, das Gesicht, …; 3. …, der Kopf, die Birne; 4. die Fehde, der Streit, …; 5. …, das Unglück, das Pech; 6. das Ross, …, der Gaul

4 2. verlieren, 3. verkaufen, 4. verstehen, 5. angeben, 6. rächen, 7. verprügeln, 8. essen

5 1. vergeuden, verschwenden, …; 2. borgen, …, pumpen; 3. …, quälen, piesacken; 4. schreiten, …, latschen; 5. schlummern, schlafen, …; 6. …, vergessen, verschwitzen

6 2. gestorben, 3. munter machen, 4. ausruhen, 5. verbieten, 6. Zimmer

7 2. Geruch, 3. stiehlt, 4. Lehrer, 5. Glück, 6. schlecht, 7. weg, 8. boshaft

8 2. erstaunt, 3. gelungen, 4. misslungen, 5. betrügen, 6. verstanden, 7. Geld, 8. Lauf weg

9 2. gingen, 3. waren, 4. dauerte, 5. verlangen, 6. begann